DEJA DE SUFRIR EN EL TRABAJO

Steve Nobel

# Deja de sufrir en el trabajo

## Cómo encontrar el camino hacia la felicidad, la satisfacción y el propósito a través del trabajo

URANO
Argentina - Chile - Colombia - España
Estados Unidos - México - Perú - Uruguay - Venezuela

Título original: *The Enlightment of Work*
Editor original: Watkins Publishing, Londres
Traducción: Alicia Sánchez Millet

1.ª edición Marzo 2013


Aribau, 142, pral. - 08036 Barcelona
www.edicionesurano.com

ISBN: 978-84-7953-180-5
E-ISBN: 978-84-9944-494-9
Depósito legal: B-1664-2013

Fotocomposición: Montserrat Gómez Lao
Impreso por: Rodesa, S. A. - Polígono Industrial San Miguel - Parcelas E7-E8
31132 Villatuerta (Navarra)

Impreso en España - *Printed in Spain*

# Índice

*Este libro está dedicado a ti y a tus descendientes.*
*Que entres con ánimo en el sendero que conduce a la búsqueda*
*de un modo de trabajar más iluminador.*

# Agradecimientos

Quiero dar las gracias a todos los autores, guías y mentores que han influido en mí y me han transformado, a través de sus reflexiones y sabiduría. Concretamente quiero darles las gracias a Laurence Boldt, Michael Breen, Joseph Campbell, Gill Edwards, Matthew Fox, Thich Nhat Hanh, Lama Surya Das, David Whyte y Nick Williams por su trabajo y por la inspiración que generosamente han compartido con el mundo.

Mi gran agradecimiento a todos mis amigos y compañeros del fabuloso Alternatives, de la Saint James Church. ¡El amor y la generosidad de su personal y de sus voluntarios parece no tener límites!

Gracias a todos los escritores, coaches, maestros y amigos que han dedicado su tiempo a revisar y apoyar este trabajo.

Casi para terminar, quiero dar las gracias a mis hijos, Peter y Lynda, y a mis nietas, Eva e Isabella. Soy su silencioso y a veces no tan silencioso animador.

Por último pero no por ello menos importante, quiero dar las gracias al ser conocido como el Buda que vivió hace unos 2.500 años en la frontera de Nepal e India. Su consciencia radiante, sabiduría, enseñanza y ejemplo han ayudado a que infinidad de seres se dirigieran hacia la luz.

# Introducción

Lo que voy a decir puede parecer obvio, pero lo diré de todos modos: actualmente, muchas personas de todo el mundo sufren de algún modo en sus trabajos. No todas sufren, pero sí muchas: millones, quizá miles de millones. Puedo hablar de ello por experiencia propia. Sufrí durante muchos años. ¡Pero eso ya ha terminado!

Éste es mi mensaje para ti respecto al sufrimiento. En primer lugar, el sufrimiento se puede presentar de muchas formas. Puede manifestarse a través del sentimiento de no tener una meta y de estar harto, cuando la única razón para seguir en tu trabajo es la paga de final de mes. Se puede manifestar a través del estrés, de trabajar demasiado y del agotamiento. A veces, se debe a la ambición en general, después de haber intentado durante mucho tiempo y con demasiada insistencia ascender en la escala corporativa, para al final ver que ésta se decanta en la dirección equivocada. En el trabajo siempre tropezaremos con dificultades y siempre sufriremos la inevitable decepción y frustración. A veces, el sufrimiento se debe a expectativas poco realistas, pues somos incapaces de ver las cosas tal como son.

Cuando hay relaciones, puede haber desacuerdos. Unas veces el desacuerdo puede ser creativo, otras no. Cuando no lo es, puede conducir a la manipulación, al conflicto e incluso a la intimidación. Podemos sufrir cuando estamos sin trabajo durante mucho o poco tiempo.

Sea cual sea nuestro trabajo, siempre estamos expuestos a que nos infravaloren, critiquen o nos juzguen con dureza. Podemos sufrir por sentirnos atrapados en un trabajo que nos resulta duro o no nos hace felices: quizá sintamos que no tenemos mucha voz ni voto respecto al contenido de nuestro trabajo o en el contexto laboral. Puede que nos sintamos incapaces de ir en una dirección que tenga sentido para nosotros o que nos haga felices.

Puede que sintamos que no podemos realizar el tipo de cambios en nuestro trabajo que más nos gustaría.

El sufrimiento puede ser físico, emocional, mental o incluso espiritual. Está el tipo de sufrimiento físico que surge cuando el estrés o la insatisfacción laboral nos generan una tensión constante en el cuerpo. Esto, a su vez, puede conducirnos a la mala salud y a contraer una enfermedad grave. Hay distintos grados de sufrimiento emocional en que sentimos ira, tristeza, amargura e infelicidad en el trabajo. Podemos sufrir mentalmente pensando de forma obsesiva en el fracaso, la inferioridad y la impotencia; estos pensamientos pueden convertirse en creencias fijas que nos dicen que no podemos influir positivamente en nuestro destino o modificarlo de alguna forma. Luego está el sufrimiento espiritual, que es más común de lo que imaginamos. Éste aflora cuando nuestro trabajo nos desconecta de nuestra verdadera esencia.

Sea cual sea la causa del sufrimiento, puede empezar fácilmente en un área y extenderse a otras. El sufrimiento físico suele conducir al sufrimiento emocional, mental y, a veces, espiritual. Por ejemplo, si tienes una lesión que te impide realizar ciertas actividades, será difícil que no tengas ciertos pensamientos y sentimientos al respecto. El sufrimiento puede ser contagioso. Si hace tiempo que no encuentras trabajo, es muy probable que tu estrés afecte a las personas con las que te relacionas todos los días. En nuestra cultura de los «famosos», donde los que más brillan y son más atractivos son los que consideramos buenos, el sufrimiento se considera malo; algo que se ha de disimular y mantener a raya. Leemos cosas sobre el sufrimiento en los periódicos, y eso es lo máximo que nos acercamos al mismo. El sufrimiento es visto como una enfermedad, como algo vergonzoso, como algo que hemos de evitar a toda costa. Cuando llama a nuestra puerta, sentimos que hemos de escondernos y no hablar de ello. «Hay que aguantar el tipo», y todas esas cosas que se suelen decir.

Hay una diferencia entre dolor y sufrimiento. El dolor no se puede evitar. El dolor es algo que todos sufrimos en algún momento. Puedes ser la persona más optimista y positiva del planeta, pero algún día tendrás que enfrentarte al dolor. No podemos ahuyentarlo eternamente. Esperemos que cuando llegue sepamos cómo usarlo para que nos ayude a elevarnos y nos permita evolucionar y seguir adelante.

El sufrimiento se puede evitar. Cuando negamos el dolor, creamos un sufrimiento innecesario. Cuando reprimimos el dolor que nos ocasionan ciertos sentimientos, podemos crear un sufrimiento capaz de adoptar cualquier forma. Es como intentar cerrar la tapa de una olla con agua hirviendo: no es una buena idea.

Afortunadamente, podemos desvelar los patrones del sufrimiento. Lo bueno es que del mismo modo que se manifiesta el sufrimiento, también se puede manifestar la inspiración, la alegría, el amor y la posibilidad. La vida puede ser un tapiz extraordinariamente complejo de experiencia y crecimiento. Este libro encierra una filosofía muy simple: el sufrimiento sucede; sufrir no tiene ningún mérito; podemos aceptar y transformar el sufrimiento; cuando realmente somos capaces de transformar el sufrimiento, podemos experimentar algo diferente.

La profunda falta de sentido y la depresión que padecía me hicieron sufrir considerablemente en mis diez primeros años de vida laboral. No le veía el sentido al trabajo que estaba realizando. No tenía ninguna afinidad con el mismo. Y lo que es peor, tenía serias dudas sobre la ética de algunas de las cosas que hacía. Por ejemplo, durante algunos años empezaba el día tramitando documentos sobre la exportación de armas a países extranjeros. ¡No es el trabajo más inspirador que he hecho en mi vida!

Había otros aspectos de mi trabajo de los que tampoco estaba muy seguro. Como, por ejemplo, ofrecer grandes préstamos para financiar lo que a mí me parecían proyectos colosales, en muchos países en vías de desarrollo. Esos préstamos obligaban a esos países a pagar grandes intereses y a estar endeudados durante muchos años. Apenas tenía capacidad de decisión sobre mi trabajo cotidiano, el proceso empezaba en otro departamento y terminaba en mi mesa para su tramitación. Mi opinión al respecto importaba un comino; estaba allí para hacer lo que me decían y no estaba en posición de discutir. Intenté averiguar si había alguien más que compartiera mi malestar y preocupación, pero la inmensa mayoría de los empleados parecían estar bastante satisfechos de poder seguir con lo que estaban haciendo. Mientras tuvieran su sueldo a final de mes y pudieran ahogar sus penas en unas cuantas cervezas, ya estaban contentos. Pero ése no era mi caso: era desgraciado y no me sentía realizado.

Recuerdo que mientras tuve ese trabajo padecí de fuertes migrañas que aparecían súbitamente. Luego tuve todo un surtido de molestias menores, nada serio, pero que soporté durante años. Busqué soluciones cambiando mi dieta, me pasé a la alimentación macrobiótica, practiqué yoga, taichi y varios tipos de meditación. Me di cuenta de que el origen de mi sufrimiento no tenía nada que ver con mi estilo de vida, pero sí, y mucho, con mi trabajo. Con el tiempo, la tensión acumulada y el estrés me obligaron a tomar un periodo de descanso: de hecho, casi un año. La tensión física desapareció, pero no sucedió lo mismo con la depresión. Mis diez años de banca habían concluido, pero ¿ahora qué? No veía ningún futuro especialmente brillante para mí.

Durante este periodo de convalecencia y con la ayuda de un grupo de psicoterapia, empecé a desempolvar un montón de cosas que nunca había examinado en mí mismo. Encontré un trabajo en un distrito de una zona deprimida del centro de la ciudad, en el Consejo de la Vivienda, donde trabajaba con personas con necesidades especiales e inquilinos mayores. Había pasado de un entorno estructurado y conservador a un entorno socialista, idealista y bastante caótico. No es que no tuviera problemas, pero me sentía más a gusto y descubrí habilidades que no sabía que tenía. Descubrí que sabía tratar a la gente, que era capaz de gestionar y resolver problemas. Empecé a confiar en mí mismo y a desarrollar mi intuición.

Al final, desapareció mi depresión, y en su lugar se despertó una pasión latente por la espiritualidad. Empecé a asistir a talleres de crecimiento personal y espiritual que me ayudaron a transformar distintos aspectos de mi vida, pero todavía sentía una falta de armonía entre mi corazón y mi espíritu. Me ascendieron a un puesto mejor, pero esto no me ayudó mucho. Volví a sentir la necesidad de cambio. Mi corazón me decía que era el momento de partir, pero mi cabeza me decía que me quedara. Como estaba más despierto espiritualmente, decidí hacerle una pregunta a mi espíritu más profundo, a mi Yo Superior, al Universo (el nombre no importa): «¿He de dejar este trabajo?» Esperé, y en cuarenta y ocho horas recibí la respuesta. En el descanso de la hora de comer, regresaba caminando al trabajo y había un hombre que iba unos pasos por delante de mí. En la parte de atrás de su camiseta había escrito un eslogan de Nike que decía: «Simplemente, hazlo». Ese mensaje fue como si me hubiera alcanzado un rayo, pero entonces se interpuso mi mente, restándole importancia al mensaje. Me recordó con un aluvión de pensamientos que tenía responsabilidades y que no podía tirarlo todo por la borda por un eslogan que había visto por casualidad escrito en una camiseta. Seguí caminando y me fijé en un escaparate donde había una pegatina con el mismo mensaje: «Simplemente, hazlo». Muy bien, con eso bastó; cedí, me rendí, y poco después estaba entregando mi carta de dimisión.

Todavía recuerdo la dicha que sentí ese día y lo grises que me parecían todas las personas de mi trabajo. Así empezó mi nueva aventura laboral. Había renunciado a una carrera «segura», y me había lanzado a buscar cualquier tipo de trabajo que pudiera encontrar. Pinté casas, me dediqué a la jardinería, vendí libros y productos naturales, trabajé en una oficina, hice té. Era capaz de notar cuándo fluía y cuándo tenía que esforzarme. Sabía que buscar trabajo me obligaba a luchar. Cuanto más confiaba en el proceso, más notaba que fluía.

En esa época empecé a trabajar a tiempo parcial para una organización increíble llamada Alternatives, que se encuentra en la Saint James Church, en Piccadilly, Londres. Al cabo de aproximadamente un año, me ofrecieron un puesto de administrador a tiempo completo. No me entusiasmaba trabajar de administrador, pero me encantaba la organización, así que acepté. Seguí asistiendo a seminarios de crecimiento personal y descubrí conceptos interesantes como algunos valores y talentos por explotar. Al año de estar trabajando de administrador, me ofrecieron el puesto de director de Alternatives. En poco tiempo otros dos codirectores dimitieron y me quedé solo dirigiendo la organización. Meditaba y rezaba porque no tenía mucha experiencia empresarial. Afortunadamente, el Universo estaba a la escucha y me respondió. Fui guiado a contratar a las personas perfectas para los puestos perfectos y tomé algunas decisiones importantes para que la organización recobrara la moral, la estabilidad y la abundancia económica.

Ahora que estoy escribiendo esto, hace más de diez años que soy director de Alternatives. Aquí he aprendido a jugar y a ser creativo. He aprendido más sobre el poder de la generosidad y el hecho de que «todo lo que das vuelve a ti». He aprendido la importancia que tiene la comunidad y encontrar «la tribu correcta». En 2001, escribí mi primer libro y ahora ya soy un escritor con varias obras publicadas: éste es mi tercer libro.

Escribir ha llegado a gustarme mucho: tanto la fase de investigación como el aspecto creativo. Aproximadamente, en 2004 empecé a interesarme en el coaching y en la PNL, y tras unos pocos años de formación, monté una empresa de coaching personal y empresarial que ahora dirijo a tiempo parcial. También, hace años que imparto talleres y retiros. Recientemente, he creado una sección de *podcasting* en mi página web, donde entrevisto a varios autores y maestros en el despertar espiritual, crecimiento personal, coaching, la empresa y el mundo laboral y difundo gratuitamente sus mensajes. Todos ellos siguen siendo una gran fuente de inspiración y alegría para mí.

Este libro ha supuesto un viaje de grandes descubrimientos: investigar y escribir ha cambiado mi visión del trabajo y del crecimiento personal. Y esto es como debe ser; como dice el Buda, nada es permanente. Este libro utiliza diversas fuentes de sabiduría, principalmente, budismo, coaching/PNL y taoísmo. Aunque presento muchas historias, ideas y meditaciones budistas, no es un libro para hacerse budista. No tienes por qué creer en nada de lo que escribo aquí. Simplemente, te animo a que pruebes algunas de las ideas y veas qué sucede. Te ofrezco este libro con un espíritu de aventura, compasión y servicio, con la esperanza de que te ayude a encontrar tu propia forma de transformar el sufrimiento y navegar por la infinidad de posibilidades que hay más allá del mismo.

Puedes usar este libro para transformar tus actitudes y perspectivas limitadoras respecto al trabajo que realizas, y abrirte a nuevas formas de conducta. Esto sin duda alguna te aportará más paz, alegría y posibilidades en tu trabajo actual. También puedes utilizar este libro para indagar sobre cómo cambiar el trabajo en sí mismo. Puedes estar seguro de que cambiar tus actitudes y perspectivas sobre tus posibilidades te va a ayudar. Aprender a ser más auténtico, a tener más recursos, a ser más intuitivo, más lúdicamente creativo y a fluir también te será muy útil. Puede que no sepas qué es lo que quieres conseguir, así que utiliza este libro como una ayuda en tu proceso de obtener mayor claridad. Deja que sus ideas y metodología te guíen en la dirección de tu corazón: hacia la experiencia ilimitada de paz, sentido, pasión, entusiasmo, talento, fluir, sabiduría, alegría y júbilo en tu trabajo.

STEVE AHNAEL NOBEL, 2011

# 1

## ¿Por qué sufrir?

«El mundo está lleno de sufrimiento.
También está lleno de superación.»

HELEN KELLER

El príncipe Siddhartha nació en Nepal, en el año 563 a.C., cerca del Himalaya, en el seno de una familia real y acaudalada. Justo antes de su nacimiento su madre tuvo un sueño en el que un elefante blanco entraba en su útero a través de su costado. Un sabio interpretó su sueño, y le dijo que el bebé sería un líder mundial o un monje. Su madre murió dos días después del parto y el joven príncipe fue educado por su padre en un palacio al pie de la majestuosa cordillera del Himalaya. El rey decidió que su hijo no sería monje, y dio orden de que no saliera nunca de los confines de palacio. A los dieciséis años, su padre concertó su matrimonio con una hermosa princesa. Para mantenerle más entretenido, hizo construir un palacio suntuosamente ornamentado para la pareja. En él, sólo se permitía la entrada a personas jóvenes, atractivas y sanas. Pero el príncipe empezó a inquietarse y a querer salir de palacio.

Al final, encontró la forma de escapar durante breves periodos de tiempo. En su primera salida visitó una población cercana y se encontró con la vejez. En su segunda visita descubrió la enfermedad. En su tercera visita presenció la muerte; sin embargo, también conoció a un santón que parecía estar satisfecho y en paz con el mundo. Al príncipe le impactó tanto la visión del monje que abandonó su vida real y emprendió la búsqueda espiritual. En los seis años siguientes se sumió en la vida ascética, se sometió a largos ayunos y se expuso a penurias y sufrimientos. Al final, agotado, aceptó un poco de arroz con leche que le ofreció una joven, y a partir de entonces, decidió seguir la vía de la moderación, equidistante de la autoindulgencia y la autonegación. Se sentó a meditar bajo una higuera, conocida desde ese día como «El Árbol del Despertar», e hizo el voto de no volver a levantarse hasta haber logrado la iluminación. Tras muchos días de meditación pudo ahondar en la naturaleza del sufrimiento y, finalmente, despertó como «El Buda», conocido también como «El Iluminado».

## El trabajo y el sufrimiento...

A diferencia de los primeros años del príncipe Siddhartha, la mayoría estamos destinados a realizar algún trabajo en el mundo. El trabajo puede ser en casa o en el mundo. El trabajo puede ser una gran fuente de alegría o de sufrimiento. Hay muchas personas que sufren innecesariamente en su trabajo. En algunos países en vías de desarrollo, donde los trabajadores reciben salarios mínimos por largas jornadas laborales, trabajar viene a ser lo mismo que la esclavitud. Con frecuencia, esos trabajadores se sienten atrapados porque no tienen voz, ni libertad para organizarse y se saben explotados.

En el desarrollado Occidente, el trabajo también puede ser una fuente de sufrimiento, y se da el caso de que se exprime la dignidad humana a través del exceso de trabajo, del estrés, las críticas, la intimidación y de frías prácticas laborales. Muchas personas son desgraciadas en sus trabajos, y muchas otras lo son por no tenerlo. Es un problema de gran magnitud.

El trabajo no siempre ha sido semejante fuente de malestar. En Inglaterra, antes de la Revolución Industrial, las personas trabajaban en contacto con la tierra y en comunidades. No es cierto que las personas trabajaran en condiciones infrahumanas desde la salida hasta la puesta del sol. Según algunos relatos, antes de la Revolución Industrial el ritmo de vida era relativamente lento y ocioso, y la gente trabajaba de forma bastante relajada. El calendario pre-industrial estaba lleno de días de fiesta —principalmente religiosas— y también había mucho tiempo para festines y festejos. Por supuesto, todo eso cambió cuando las fábricas, los molinos y las vías férreas empezaron a poblar el paisaje. Esto, unido a ideas religiosas sobre la rectitud de la ética laboral, hizo que el trabajo pronto se convirtiera en una actividad larga, dura y agotadora, donde el tiempo no estaba para disfrutarlo, sino para cambiarlo por dinero.

En los últimos siglos, en Occidente, hemos estado condicionados por algunas ideas poco saludables, que hemos de cambiar si deseamos transformar nuestra desdichada forma de pensar sobre el trabajo. Viktor Frankl, fue un superviviente de los campos de concentración nazis, que después de la guerra escribió sobre su experiencia y reflexiones en su libro *El hombre en busca de sentido*. Frankl narró tres reacciones psicológicas que experimentaban los internos de los campos de concentración: la primera era el *shock*, en la fase de internamiento en el campo; la segunda era la apatía, cuando los internos se acostumbraban a su vida en el campo; la tercera era la despersonalización y desilusión. ¿Te resulta familiar algo de esto? Es curioso el hecho de que el cartel de bienvenida para los millones de desafortunados que entraban en los campos de concentración, incluidos Auschwitz y Dachau, pusiera «EL TRABAJO TE HACE LIBRE».

## La falta de trabajo

Los efectos del desempleo van desde los traumas emocionales hasta los problemas para que te vuelvan a contratar en el futuro. Una reducción de plantilla o un despido pueden suponer un cambio de profesión. Si habías planeado seguir en cierto campo laboral y alcanzar un nivel concreto de promoción y aumento salarial, puede que esta situación te haga sufrir. Estar sin trabajo puede generar apatía, desánimo y bochorno. No trabajar puede conducirte a una crisis sobre el sentido de la vida y a cierta falta de conexión y compromiso con el mundo.

Perder un trabajo durante un breve periodo de tiempo puede provocar estrés e incluso depresión. Cuando el desempleo dura mucho, los problemas psicológicos de falta de autoestima, estrés y depresión pueden ser mucho más graves. El estrés de estar desocupado durante mucho tiempo tenderá a afectar a amigos y a familiares. En tiempos de desempleo masivo el pesimismo colectivo puede adueñarse de un país. Varios estudios confirman que existe una correlación estadística entre el desempleo y la delincuencia, el suicidio y las enfermedades mentales.

## Trabajo sin sentido

Una de las grandes causas de sufrimiento es sentir que el trabajo es monótono y que no tiene sentido. Hay un antiguo proverbio inglés que reza: «*All work and no play makes Jack a dull boy* [Sólo trabajar sin jugar hacen de Jack un muchacho aburrido]». El sentido original de la palabra *dull* era más bien estúpido que aburrido. Actualmente, hay muchos trabajos que simplemente son estúpidos. En algunos puestos se hace poco más que mover papeles —algunos trabajos se basan en fabricar artilugios inútiles—, otros son sumamente repetitivos.

Lo que ya no es tan conocido es que el trabajo estúpido mata. Según un estudio realizado por la Facultad de Medicina del Colegio Universitario de Londres, algunos trabajadores puede que se estén haciendo un favor al no presentarse para puestos aburridos. Según un informe: «Los hombres que tienen trabajos con salarios bajos y pocos estudios tienen mayor riesgo de padecer enfermedades cardíacas, tendencia que se ha evidenciado en los últimos treinta años». Cuando se trata de este tipo de trabajo es triste ver cómo una persona hace el paripé, se presenta en su puesto, cumple con lo que tiene que hacer y luego se marcha a casa. Sin chispa, sin pasión. ¡Muchas veces las luces están encendidas, pero no hay nadie en casa!

## El trabajo superficial

Una de mis películas favoritas es *Antes del amanecer*, que trata de la historia de amor entre dos jóvenes que se conocen en un tren en el trayecto entre

Budapest y Viena. Jesse es un joven y atractivo norteamericano que viaja a través de Europa y Celine es una hermosa joven francesa que va a visitar a su abuela a Budapest. Celine le cuenta a Jesse que su padre siempre está pensando en su futura carrera. Si Celine le dijera a su padre que le gustaría ser escritora, él le contestaría: «¿Así que quieres ser periodista?» Si Celine le dijera que le gustaría ser actriz, él le diría que debería ser presentadora de televisión. Si le dijera que quiere crear un refugio para gatos abandonados, él le respondería que estudiara veterinaria. Celine se queja de que «Es una constante reconversión de mis ambiciones fantasiosas en metas prácticas para ganar dinero».

Ir en busca del dinero puede acabar siendo una fuente de sufrimiento. El dinero en sí mismo no puede aportarnos verdadero sentido. Sí, el dinero es importante para vivir en el mundo moderno, para pagar los recibos y mantener a la familia, pero el trabajo también es mucho más que el dinero. Lo que vale la pena preguntarse es: ¿qué cantidad de dinero puede compensar una vida de insatisfacción?

## El trabajo estresante

El trabajo puede hacernos sufrir por mantenernos demasiado ocupados, ser excesivo y estresante. El trabajo suele ponernos a prueba, con sus fechas límite, frustraciones y exigencias. Puede exigirnos que trabajemos muchas horas o que incluso tardemos horas desplazándonos para llegar al mismo. El estrés en pequeñas dosis puede ser una fuerza motivadora, pero cuando es continuado puede llegar a agotarnos y a abrumarnos. Si dura demasiado tiempo puede convertirse en una forma de vida. Los efectos del estrés aumentan o disminuyen según una serie de factores, como lo reforzadas o débiles que estén ciertas áreas: nuestra red de familiares y amigos que nos apoyen; conciencia de sí mismo e inteligencia emocional; optimismo y nivel de autoconfianza.

El estrés también puede matar —los estudios demuestran que el estrés de regresar al trabajo después del fin de semana puede desencadenar un peligroso aumento de la presión sanguínea— cuando desencadena ataques cardíacos y accidentes cerebrovasculares, que suelen aumentar los lunes por la mañana.

## El trabajo motivado

La ambición puede conducir a la infelicidad. Una buena amiga mía estudió medicina, y al principio de la carrera preguntaron a su grupo qué era lo que les había motivado a elegir esa profesión. Los alumnos fueron respondiendo uno a uno, y la mayoría de las respuestas tenían algo que ver con el dinero y la posición social. Cuando llegó su turno, ella respondió que quería un trabajo en el que realmente pudiera ayudar a las personas y contribuir positivamente en sus vidas. Me contó que tras su respuesta se produjo un incómodo silencio en el aula. Para ella fue duro darse cuenta de que la mayoría de sus compañeros no compartían su motivación.

La ambición por sí sola no puede satisfacerte durante toda una vida laboral. La ambición es sin duda una fuerza motivadora, pero es una aliada menos fiable que el entusiasmo. La palabra «entusiasmo» procede del griego, y significa «estar poseído por Dios». La ambición puede ayudarnos a ascender en la escala ejecutiva y a que podamos pedir una hipoteca mayor, pero la ambición sin entusiasmo puede producir sufrimiento. He conocido a muchas personas que se han fijado una serie de metas en sus vidas con una secuencia parecida a ésta: «A los veintiún años conseguiré matrícula de honor en la asignatura que haya elegido, a los veintidós conseguiré mi máster, luego viajaré por el mundo durante un año, después conseguiré un trabajo en una de las compañías que yo haya seleccionado», y así sucesivamente. Si la motivación y la concentración son fuertes, es muy probable que logres estas metas. Pero esta lista de objetivos no es una garantía para la felicidad duradera.

Para algunos, la ambición es tan fuerte que se transforma en una ambición negativa. Aquí es donde un deseo excesivo por conseguir algo, pronto se convierte en sufrimiento. Quizá la ambición negativa se manifieste en forma de avaricia y egoísmo, que sacrificará las necesidades o derechos de los demás en pro de alcanzar un objetivo.

## El trabajo estancado

Sentirse estancado o atrapado en un trabajo es una fuente de desdicha. Puedes sentir que te has estancado en tu trabajo y que eres incapaz de buscar otro porque llevas en él demasiado tiempo; cobras un buen sueldo; has invertido demasiado en él; tienes que cubrir tus gastos y hacer un cambio es arriesgado; tienes una familia en la que pensar y seguir con lo mismo parece la opción más sencilla; eres demasiado mayor para cambiar de trabajo o crees que te faltan los conocimientos y habilidades que necesitas para hacer lo que realmente deseas.

En algunos lugares, es la propia cultura la que genera ese estancamiento. Por ejemplo, en la India, más de 260 millones de mujeres, niños y hombres pertenecen a la casta de los intocables. Aunque la palabra intocable fue erradicada de la Constitución india hace unos sesenta años, los intocables siguen estando relegados a realizar los trabajos más bajos de la sociedad. Suelen dedicarse a lo mismo que sus padres.

## La violencia laboral

Por desgracia, el conflicto es una de las causas habituales de la infelicidad laboral. Mientras el desacuerdo creativo puede conducir a nuevas ideas y posibilidades, el conflicto destructivo rara vez produce algo útil. Siempre que en el trabajo anden sueltos grandes egos, seguro que habrá conflictos y desacuerdos. También el que soplen aires de grandes cambios en el horizonte puede provocar conflictos. Cuando las personas se sienten inseguras y tienen miedo, pueden reaccionar de manera agresiva y poniéndose a la defensiva.

La intimidación en el trabajo es una forma de conflicto muy específica. Puede hacer sufrir a los demás, especialmente cuando es constante y malévola. Las víctimas suelen ser —aunque no siempre— personas que están en un puesto «inferior». La intimidación puede presentarse de varias formas: cara a cara, por carta, a través de una llamada telefónica, por correo electrónico o a través de un mensaje en una red social. Hay distintas formas en que las personas se pueden sentir acosadas en el puesto de trabajo, entre las que se encuentran: que se metan contigo o te critiquen constantemente; ser humillado delante de los compañeros; ser tratado de manera injusta con regularidad; insultos verbales; cargar con la culpa de problemas ajenos o recibir amenazas de castigos. Es importante sentirse respetado y seguro en el puesto de trabajo, de lo contrario esto te provocará sufrimiento.

### La inseguridad laboral

En el pasado se pensaba que un trabajo era para toda la vida, y al final de un largo periodo laboral podías cobrar una pensión y quizá te regalaban un reloj de oro y un diploma enmarcado. Todavía recuerdo el reloj de oro de mi padre y el diploma que tenía colgado en su dormitorio que reconocía sus cuarenta años de vida laboral. Yo miraba ese certificado con admiración y asombro por su trabajo. Entonces no era consciente de lo largos que realmente pueden ser cuarenta años.

Ahora, me parece mucho tiempo para estar en el mismo sitio. Actualmente, ya no hay trabajos para toda la vida, y esto puede provocar entusiasmo y ganas de aventura, o inseguridad y deseos de aferrarse, según el punto de vista de la persona. Cuando el miedo que provoca la incertidumbre es intenso, puede existir el temor de no querer tentar la suerte o asumir riesgos. Esto puede bloquear la posibilidad de probar algo nuevo. Cuando te falta valor o una visión superior o más amplia, esto puede impedir que aproveches las posibilidades que te ofrece la vida, lo que a su vez crea sufrimiento.

## Trabajo: más allá del sufrimiento...

Lo verdaderamente triste de dedicar nuestro tiempo a un trabajo con el que no estamos satisfechos es que estamos vendiendo un producto que es finito. Nuestro tiempo en la tierra se agotará y es un recurso que nunca recuperaremos, ¡al menos no en esta vida! Por otra parte, lo bueno es que sufrir en el trabajo no es obligatorio, sino opcional, y quien decide si sufres o no no es tu jefe, tu gobierno o tu cultura: eres tú.

Algunas circunstancias pueden ser muy complicadas, pero lo que importa no son las circunstancias, sino nuestra reacción a las mismas. Victor Frankl dijo: «Todo ser humano tiene la capacidad para cambiar en cada instante». Hay una salida para el sufrimiento, pero se ha de elegir conscientemente. El sufrimiento es un tipo de reacción que nos está indicando que pasa algo, que algo ha de cambiar. Actualmente, en Occidente se nos está instando a que tomemos las riendas de nuestro destino: nuestras vidas laborales, en gran medida, han dejado de estar organizadas en nuestro nombre, ya no existe un trabajo para toda la vida. Los valores de nuestros padres y abuelos ya no pueden servirnos de guía como sucedía en décadas anteriores. Mientras sigamos sufriendo, nunca nos daremos cuenta de que hay otras cosas a nuestro alcance. Cuando somos capaces de trascender el sufrimiento laboral, se nos pueden presentar muchas otras oportunidades.

**LAS CUATRO POSIBILIDADES**

1. Existe la posibilidad de que en algún momento sufras física, emocional, mental o incluso espiritualmente en tu trabajo.
2. Existe la posibilidad de que transformes tu sufrimiento y que lo trasciendas para explorar una visión nueva, más saludable y optimista.
3. Existe la posibilidad de que conozcas tu verdadera naturaleza, tengas más recursos, juegues en vez de matarte trabajando, sepas cuáles son tus auténticos valores, sigas la dirección correcta y encuentres o crees el trabajo que deseas.
4. Existe la posibilidad de que aprendas a fluir, actúes sin esfuerzo, estés abierto a la gracia y se despierte en ti la dicha en tu trabajo.

## El trabajo y el sentido

El mundo laboral en el que estamos entrando nos exige que no nos despistemos, que sepamos adónde vamos, que tengamos un objetivo y que aportemos algo importante para los demás. Quizás el trabajo sea un eslabón para lograr algo más grande. Quizás el trabajo sea una forma de aclarar hacia dónde nos dirigimos realmente en la vida. El propósito es un fuego interior, una claridad un sentimiento exaltado de estar vivos. El propósito se refleja en los ojos, en el lenguaje corporal, en la forma de hablar de una persona y de desenvolverse en el mundo; hay vitalidad en su voz. El propósito es saber adónde vas y por qué vas allí. El propósito es cómo enamorarse: no sabes lo que es hasta que lo experimentas por primera vez. El propósito es visionario, no perseguidor de metas. Con él nos convertimos en artistas de nuestra vida laboral. Ya no estamos limitados por los sueños y las esperanzas de los demás y dejamos que nuestros sueños remonten y echen a volar.

## El trabajo y la presencia

El mundo laboral en el que estamos entrando nos exige que estemos despiertos y que seamos conscientes, en vez de estar dormidos o ir con el piloto automático. Cuando el trabajo nos resulta doloroso, evitaremos ese sufrimiento con todo tipo de cosas que nos ayuden a dormir. Cuando estamos despiertos, estamos más presentes en todo lo que hacemos. Cuando nuestro trabajo es una fuente de sufrimiento, no podemos estar presentes. Podemos estar a la vez alerta del peligro e intentar estar en otra parte mentalmente.

Cuando disfrutamos con lo que hacemos y con las personas con las que estamos trabajando, estamos más presentes. Esto puede transformar hasta el trabajo más insignificante. He conocido personas que realizan tareas muy insignificantes que las hacen con tanto esmero, devoción y alegría que inspiran a todos los que tienen cerca. He visto a personas que se dedicaban a limpiar que estaban alegres y que eran atentas, y he conocido trabajadores de cadenas de montaje que estaban concentrados, vendedores llenos de energía y recepcionistas verdaderamente amables. Una vez conocí a un jesuita que inspiraba un gran respeto simplemente con el poder de su presencia. Escuchaba y hablaba con mucha atención y concentración. Nunca se apresuraba, siempre se tomaba su tiempo, y sus respuestas siempre eran fruto de una seria reflexión. Aportaba mucha presencia a todo lo que hacía y a todas las personas con las que estaba. Estar presentes es una de las cualidades que podemos aportar para mejorar nuestra experiencia laboral.

## El trabajo y el valor

El mundo laboral en el que estamos entrando nos exige valor. Durante siglos nos han enseñado que nos conformemos con un sistema. El ambiente laboral actual no favorece la conformidad, sino el valor. El valor es saber mantener una individualidad saludable cuando trabajamos con otras personas. Hace falta valor para saber cuáles son nuestros valores y regirnos por ellos. No cabe duda de que esto puede ser complicado en ciertos entornos laborales. Cuando las cosas se ponen feas, el valor es la energía principal que puede sacarnos de situaciones en las que nuestra cabeza nos dice que tenemos que aguantar. ¡Sin valor simplemente aguantamos situaciones que no deberíamos soportar! El valor hace que nos levantemos y que hablemos en voz alta. El valor hace que nos movamos cuando hemos de movernos. El valor nos conduce a la tenacidad y al cambio.

Por cierto, al hablar de valor no me estoy refiriendo a la temeridad o a la estupidez. El valor no es reactivo, sino profundamente contemplativo. La temeridad o la estupidez son actos reflejos donde no existe un verdadero sentimiento de poder interior.

## El trabajo y la flexibilidad

El mundo laboral en el que estamos entrando nos exige que tengamos capacidad de adaptación, que sepamos cambiar, que podamos pasar ágilmente de un conjunto de habilidades a otro, y que no nos aferremos a nuestros planes y seamos más espontáneos. La adaptación es la esencia de la evolución. Ahora estamos pasando de una forma de pensar y una identidad a otra. Si nos adentramos y trabajamos en esta nueva era laboral con una mentalidad antigua nos supondrá mucho esfuerzo. Estamos entrando en la Era Virtual, pero el trabajo siempre está adaptándose, por lo tanto, seguirá desarrollándose más allá de la Era Virtual. Es indudable que entrar en la Era Virtual y trascenderla es imposible conservando el mismo nivel de pensamiento que funcionó durante la Era Industrial. Ten metas, pero lo más importante, es tener visión.

La visión te llevará mucho más lejos que las metas. La visión te ayudará a adaptarte mejor. Tener capacidad de adaptación significa que puedes deshacerte de lo que no necesitas, que puedes reducir algo, tomarte tiempo, probar cosas nuevas, pensar sin encasillamientos y cambiar tu orientación profesional si así lo deseas. Disponte a soltar lastre. Así tendrás más espacio para maniobrar y más ayuda y apoyo que en décadas anteriores.

## El trabajo y la posibilidad

El mundo laboral en el que estamos entrando nos exige que recuperemos nuestra fe en la posibilidad. La liberación se produce principalmente en el plano mental. Una mente libre puede crear un estilo de vida libre. Una mente atrapada no es verdaderamente consciente de sus verdaderos talentos, dones y potencial. Estamos condicionados a bloquearnos con creencias y expectativas limitadoras. No podemos llegar a conocernos o ver el mundo realmente a través de estas creencias. Cuando transformamos nuestras creencias, literalmente, vemos y experimentamos un mundo nuevo. Mi definición personal de libertad laboral es trabajar en lo que nos gusta, cuando deseemos y donde deseemos. En nuestro mundo actual, con todas las nuevas tecnologías, en particular Internet, tenemos más oportunidades que nunca de tomar las riendas de nuestro tiempo. El trabajo típico de nueve a cinco ya no es la única opción disponible.

## El trabajo y el talento

El mundo laboral en el que estamos entrando nos exige que aportemos nuestros talentos naturales y que desarrollemos nuestros puntos fuertes. El trabajo es una forma muy poderosa de descubrir nuestros dones, talentos y recursos internos: a menudo aquellos que ni siquiera sabíamos que teníamos. Cuando descubres un don elevas y bendices tu mundo. Puedes ser un profesor de matemáticas con una pasión y habilidad para las mismas, que será evidente para todo aquel a quien enseñes. Tu pasión será contagiosa y afectará a todas las personas con las que te relaciones. Puedes ser un gran cocinero e inspirar a otras personas a que les guste la cocina. Puedes saber tratar muy bien a la gente y encontrar muchos trabajos distintos que te permitan utilizar esta habilidad.

Lo que importa es que descubras tus talentos y los apliques a una necesidad real en el mundo, una por la que la gente te pague. Puede que seas un artista, coach, médico, ingeniero, sanador, líder, trabajador social o profesor en potencia, pero si no utilizas tu talento, sufrirás.

## El trabajo y la intuición

El mundo laboral en el que estamos entrando nos exige que seamos más conscientes. No podemos confiar sólo en la lógica y en el intelecto; necesitamos nuestra intuición e imaginación para sobrevivir y medrar en estos tiempos de cambio. Confiar sólo en la lógica ya no es suficiente. Has de ser más innovador. Has de despertar tu intuición y combinarla con tu lógica. La intuición es tu brújula personal para navegar por las dificultades que se presenten en tu trabajo, encontrar nuevas soluciones, tomar decisiones más importantes y actuar de un modo más eficaz.

¿Tiene sentido utilizar sólo la mitad de tu cerebro? El cerebro es una maravillosa herramienta y trabajar es una gran forma de utilizarla y desarrollarla. La intuición puede ayudarte a encontrar o a crear el trabajo que te gusta. Cada vez es más difícil predecir lo que va a suceder en el mercado laboral. La intuición te permite adelantarte a aquellos que sólo actúan guiados por la lógica. La intuición y la lógica combinadas forman una sinergia de recursos que puede llegar a ser casi mágica.

## El trabajo y el juego creativo

El mundo laboral en el que estamos entrando nos exige que seamos más creativos, que seamos lúdicos y que estemos más dispuestos a pasárnoslo bien. Si el trabajo no es divertido, quizá tengas que cambiar algo: ya sea tu forma de trabajar o el trabajo en sí mismo. La antigua ética laboral ya no encaja en el paisaje actual. Está surgiendo una nueva ética que se basa más en el juego que en matarse a trabajar. Se trata de dejar de ser un trabajador para ser un jugador. Como trabajador sabes lo que es el trabajo duro; como jugador, trabajas en un estado mental diferente. Los jugadores avanzan espontáneamente hacia lo que les gusta hacer y se alejan de lo que les parece pesado o demasiado serio.

La diversión y el juego conducen a una vida laboral más productiva y feliz. El juego es un estado mental que es creativo e innovador por naturaleza. El juego nos ayuda a romper con nuestra forma de pensar y obrar habitual y nos conduce a probar algo nuevo. En los entornos lúdicos se respira la alegría de vivir, están llenos de vida, reina el buen humor, enganchan y no hay críticas, y se aprecia realmente el buen trabajo realizado. El humor es una parte esencial de la evolución en el trabajo.

## El trabajo y el amor

El mundo laboral en el que estamos entrando exige que el trabajo sea un romance. En el trabajo no puede faltar la pasión: el trabajo y el amor no están reñidos. Cuando hagas algo que te guste, no te parecerá que estás trabajando. La pasión y el entusiasmo conducen al propósito; sin pasión, nos regimos por la cabeza, en lugar de hacerlo por el corazón. Necesitamos el corazón para estar despiertos en nuestro trabajo.

Cuando trabajamos de acuerdo con nuestros valores, nos apasionamos. Pero la mayoría no conocemos nuestros valores, entonces, ¿cómo podemos sentir pasión? Cuando trabajes en armonía con tus valores, el mundo será diferente para ti. Éste tendrá un aspecto literalmente distinto; de hecho, el mundo que verás será diferente al que ve una persona sin pasión. La pasión es la puerta hacia la inspiración, donde nuestra mente también está encendida, pero este fuego proviene del corazón. El trabajo apasionado es sensual, utiliza las manos y todos nuestros sentidos.

## El trabajo y la dicha

En el otro extremo del sufrimiento se encuentra la dicha. La dicha es un estado de existencia que trasciende la alegría y la felicidad. La dicha puede producirse inesperadamente a través de una práctica espiritual, o a través de intentar de manera insistente realizar el trabajo que nos gusta.

Cuando aprendemos a fluir en vez de luchar, estamos en el sendero de la dicha.

En nuestro trabajo podemos invitar a la gracia y a la divina providencia. Todo esto —fluir, dicha, gracia y divina providencia— son conceptos espirituales. Los milagros pueden producirse y se producen en este mundo. Es un misterio que no es necesario entender del todo para permitir que suceda en nuestra vida. Del mismo modo que no necesitamos entender cómo funciona la electricidad para encender la luz en nuestra casa.

El trabajo y la espiritualidad no se han mezclado realmente durante siglos, pero en la actualidad es más importante que nunca que nuestro trabajo sea un recipiente para nuestro espíritu. El trabajo que está desconectado de nuestro espíritu puede ocasionar sufrimiento. Afortunadamente, hoy en día podemos vivir una vida espiritual sin retirarnos del mundo. La mayor parte de las personas espirituales que he conocido no viven en monasterios, sino que trabajan en distintos campos.

La dicha se produce cuando trascendemos los estados de aburrimiento, estrés o cansancio y aprendemos a acceder a los estados de relajación, creatividad, claridad, curiosidad, concentración, pasión y sabiduría. El trabajo es maravilloso cuando fluye como el agua, cuando va sorteando todos los obstáculos hacia nuestra visión superior de la vida y del trabajo.

## El trabajo: intentar hacer algo diferente...

Como habrás podido comprobar, este libro explora una forma de trabajar que se niega a aceptar el sufrimiento, y esta nueva forma empieza realmente con un objetivo o un conjunto de intenciones diferente. Estas intenciones pueden dirigir tu mente hacia lo que te gusta, en lugar de hacerlo hacia lo que no te gusta, esto generará más entusiasmo y deseo. Cuando hagas lo contrario y te concentres en lo que no te gusta, pronto aparecerá la depresión. La intención actúa con lo que ya es y con lo que puede llegar a ser.

Por esta razón cada capítulo concluye con una «Declaración de intenciones». Es un conjunto de intenciones que puedes usar o adaptar para tus propios fines, para ayudarte a aclarar lo que quieres experimentar hoy, mañana, el próximo mes, el próximo año, la próxima década, en tu trabajo. La claridad de intenciones es importante cuando se trata de encontrar o crear el trabajo que te gusta.

En general, no actuamos en el mundo con intenciones claras. Para ello hemos de tener cierto grado de conciencia. Normalmente, tenemos intenciones conflictivas que crean resultados conflictivos en el mundo. Las siguientes intenciones se basan en la naturaleza ilimitada del amor, la compasión, la autoestima y la posibilidad. Cada intención empieza con la frase afirmativa de «¡Estoy dispuesto!»

## Declaración de intenciones

1. Estoy dispuesto a presenciar y a transformar todo el sufrimiento que surge en mi trabajo. Estoy dispuesto a liberarme de la limitación de todos mis condicionamientos, creencias, suposiciones, pactos inconscientes, obligaciones, dramas, de la actitud de perseguidor, salvador o víctima que me bloquean.
2. Estoy dispuesto a ser más auténtico, estar más presente, ser más consciente en mi vida y en mi trabajo. Estoy dispuesto a dejar de confiar excesivamente en vivir con el piloto automático. Estoy dispuesto a ser totalmente yo mismo.
3. Estoy dispuesto a transformar mi actitud y mi perspectiva en mi trabajo. Estoy dispuesto a afrontar todos mis temores sobre el presente y el futuro. Estoy dispuesto a ver un futuro brillante, expansivo, incitante y esperanzador abriéndose ante mí.
4. Estoy dispuesto a reconocer que mi tiempo en la Tierra es limitado. Estoy dispuesto a reconocer que mi tiempo es muy valioso. Estoy dispuesto a utilizar mejor mi tiempo.
5. Estoy dispuesto a aceptar la totalidad de mis dones, recursos, aptitudes y talentos. Estoy dispuesto a utilizar mi intelecto con mi imaginación y mi intuición. Estoy dispuesto a desarrollar mis aptitudes. Estoy dispuesto a encontrar mi lugar en el mundo. Estoy dispuesto a escuchar la información que recibo y a utilizarla correctamente.
6. Estoy dispuesto a divertirme, a estar de buen humor, a reírme y al juego creativo en mi trabajo. Estoy dispuesto a no tomarme tan en serio.
7. Estoy dispuesto a divertirme, a jugar y a que entren en mi vida personas positivas. Estoy dispuesto a abrirme y a conectar de verdad con otros exploradores y pioneros de los campos que he elegido.
8. Estoy dispuesto a que mi trabajo sea una historia de amor. Estoy dispuesto a descubrir mis verdaderos principios. Estoy dispuesto a que el entusiasmo y la alegría entren en mi trabajo. Estoy dispuesto a disfrutar con lo que hago. Estoy dispuesto a que se me revele cuál

va a ser el trabajo de mi vida. Estoy dispuesto a soñar con mi trabajo hasta que se haga realidad.

9. Estoy dispuesto a fluir como el agua en vez de luchar. Estoy dispuesto a actuar sin esfuerzo de acuerdo con mis verdaderos principios. Estoy dispuesto a estar en el lugar correcto en el momento correcto. Estoy dispuesto a que mi trabajo se desarrolle con facilidad y gracia. Estoy dispuesto a trabajar con más dicha si cabe.
10. Estoy dispuesto a emprender este viaje y encontrar mi propio camino. Estoy dispuesto a confiar en mi guía interior y a terminar este viaje, dondequiera que me lleve.

# 2

# Transforma tu sufrimiento

«Enseño sobre el sufrimiento y
sobre la transformación del sufrimiento.»

El Buda

En la versión del cuento de hadas *La Cenicienta* de los hermanos Grimm, el príncipe está buscando a una joven que conoció en el baile y de la cual se enamoró. Aunque ella huye antes de que él pueda descubrir nada respecto a su identidad, deja una pista esencial, un zapato de oro que perdió al bajar la escalera real. «Convertiré en mi esposa a la joven a quien le entre este zapato», dice el príncipe en la exhaustiva búsqueda de su amada. Al final llega a la casa de Cenicienta y de sus dos hermanastras. La hermanastra mayor es la primera en probarse el zapato, pero le viene pequeño. Entonces, su madre le da un cuchillo y le dice: «Córtate el dedo gordo; cuando seas reina ya no tendrás que ir a pie».

## Una visión psicológica del sufrimiento...

Sin contar con la posibilidad de las vidas pasadas, los patrones del sufrimiento surgen principalmente en nuestras familias. La falsa novia del cuento de *La Cenicienta* es un caso clásico de alguien que se ha olvidado de su verdadera naturaleza para seguir un camino de sufrimiento. En este caso, el patrón era casarse con un príncipe y, de ese modo, salvar a la familia. Esta historia es una gran metáfora. En las familias puede haber patrones de sufrimiento que no están resueltos y que simplemente pasan de una generación a otra; éstos se manifiestan en forma de ira, conflictos internos, culpa, temas por resolver y otros «enredos».

¿Por qué sucede esto y por qué lo permitimos? Bueno, en primer lugar, es principalmente un acto inconsciente y no nos damos cuenta del mismo, y cuando somos conscientes de que nos falta algo, nuestra necesidad de conectar y de estar integrados en alguna parte es tan fuerte que preferimos soportar el sufrimiento que experimentar el dolor de no pertenecer a ningún sitio. Nuestros antepasados lejanos vivían en unidades tribales donde estar integrado podía suponer la vida o la muerte. En la era de la agricultura, todavía existía un arraigado impulso a vincularse y a trabajar en comunidad. Con la mentalidad industrial llegó la idea de que podíamos vivir solos sin necesidad de una familia o comunidad. No obstante, el instinto de pertenencia del ser humano no desaparece porque estudie en una universidad. Hoy en día, como hemos hecho siempre, seguimos buscando pertenecer a diferentes grupos y tememos la exclusión. Nadie puede soportar el sufrimiento de estar totalmente solo en el mundo. Por esta razón, inconscientemente, siempre elegiremos el sufrimiento antes que no estar integrados.

¿Cómo se traduce esto en la práctica? Bien, por ejemplo, si tu padre era desgraciado y trabajaba mucho para mantener a la familia, por lealtad y amor, intentarás imitarle. ¿Cómo podrías sentir alguna afinidad con tu padre si eligieras un camino totalmente distinto, uno en el que te encantara lo que haces, te sintieras libre y fueras feliz? No tendrías mucho en común. Si tu madre sacrificó sus sueños para cuidar de la familia, entonces, de nuevo por amor y por un sentido erróneo de la lealtad, tú harás lo mismo. ¿Cómo puedes hacer tu sueño realidad si tu madre sacrificó el suyo para educarte?

Sería como una traición. Si tu padre o tu madre tuvieron dificultades con el dinero o para descubrir lo que les apasionaba y el propósito de su trabajo, es probable que adoptes ese patrón por lealtad y amor hacia ellos.

En lo más profundo existe la esperanza de la resolución, pero en la práctica, lo que sucede es que el patrón se repite de una generación a otra. Es importante que nos demos cuenta de que cuando adoptamos un patrón de sufrimiento no estamos siendo leales a nuestra familia, a lo que estamos siendo leales es a una serie de ideas sobre nuestra familia que pueden ser ciertas o no. Los patrones de lealtad siguen activos, aunque los progenitores hayan fallecido. Una forma de comprender los patrones de las familias disfuncionales es observar los roles que tienden a crear; según ciertas teorías de la terapia de los sistemas familiares, los roles principales que podemos adoptar en la familia son: el del Héroe, el de Chivo Expiatorio, el del Salvador o el del Niño Solitario.

## El Héroe

El Héroe, normalmente, es superresponsable y llega muy alto. Es el buen estudiante, la estrella del deporte, el adolescente más atractivo. El Héroe hace que la familia se afirme en que le está yendo bien, pues siempre puede recurrir a los logros del hijo o de la hija mayor como fuente de orgullo y de estima. Aparentemente, este hijo o hija parece tener mucho éxito y ser autosuficiente y estar bien adaptado. Pero debajo de la máscara de Héroe o Heroína, suele haber fuertes sentimientos de inferioridad, y como suelen tener «éxito» y tienden a hacer lo que está «bien», son a los que de adultos les cuesta más admitir que tienen un problema.

En la película *El club de los poetas muertos*, una historia que se desarrolla en el entorno conservador de una escuela secundaria masculina, Neil es un alumno que tiene como meta ser médico. No es lo que realmente desea, sino lo que desea su padre. Neil es el clásico hijo Héroe, pero despierta gracias a la guía de su profesor, que anima a sus alumnos con la frase latina *carpe diem*, que significa «vive el momento». Neil se enfrenta a los deseos de su padre y en una obra de teatro escolar, interpreta el papel de Puck, el personaje de Shakespeare de *El sueño de una noche de verano*, pero su padre lo descubre y enfurecido le saca de la institución. Incapaz de hacerle entender a su padre sus verdaderos sentimientos, Neil no ve salida a su situación y pone fin a su vida.

## El Chivo Expiatorio

El Chivo Expiatorio tiende a actuar enojado, de forma desafiante e incurre en actos delictivos. El Chivo Expiatorio suele ser un mal estudiante, puede llegar a tontear con las drogas, el alcohol, la promiscuidad sexual, las bandas de adolescentes o la delincuencia. Esta conducta normalmente es fruto de un profundo sentimiento de sentirse herido, ignorado e inadaptado. Suelen oír frases como éstas: «Mira lo que has hecho», «Si no fuera por ti...», «Ahora nos has fastidiado a todos». Él o ella suele actuar impulsado por tensiones y asuntos familiares subyacentes que la familia prefiere desoír.

Según las estadísticas recopiladas por la Organización Mundial de la Salud, en el Reino Unido es donde se registra el mayor número de embarazos en la adolescencia (Chivo Expiatorio clásico) de la Europa occidental —el segundo puesto lo ocupa Estados Unidos—, lo que demuestra que el Chivo Exipatorio está vivo en Gran Bretaña. En la película *Cadena perpetua*, Andy está acusado de asesinar a su esposa y al amante de ésta. Le condenan a dos cadenas perpetuas y es enviado a la siniestra prisión de Shawshank. Andy, al principio es el típico Chivo Expiatorio, pero con el tiempo consigue no identificarse con ese papel y se escapa de la cárcel, comprometiendo brillantemente al brutal director de la prisión y al jefe de los guardas.

## El Bienhechor

El Bienhechor pretende ser el centro de atención, y suele ser hiperactivo, intenta que todo el mundo se sienta mejor gracias a sus chistes y payasadas. Este niño o niña se responsabiliza del bienestar emocional de la familia. Se siente culpable de no poder salvar a la familia. A consecuencia de esto, se siente inclinado hacia profesiones de carácter humanitario y puede dedicarse a la enfermería, al trabajo social o ser terapeuta. A los adultos que se han quedado estancados en este rol les es más fácil dar amor que recibirlo.

Suelen dedicarse a resolver problemas de otros más que a tener amistades, y pueden soportar relaciones abusivas en su intento de «salvar» a la otra persona.

En la película *El indomable Will Hunting*, el terapeuta —Sean Maguire— parece ser el clásico Bienhechor. Esto se demuestra en la escena donde su cliente, Will Hunting, analiza una acuarela que ha pintado Sean y le dice provocadoramente que refleja su sentimiento de culpa por la muerte prematura de su esposa. Sean reacciona violentamente y agarra a Will por el cuello: ¡los dos aspectos de la personalidad del Bienhechor!

## El Niño Solitario

El Niño Solitario tiende a ser tímido, solitario y se aísla en la vida, internamente se siente un extraño en su familia. El Niño Solitario busca la intimidad de su propia compañía para alejarse del caos familiar. No quiere atraer la atención, porque no desea ser una carga para la familia. Suele tener una vida fantasiosa muy rica, en la que se queda absorto. Los niños que adoptan el rol del Niño Solitario a veces se decantan por profesiones como la de actor o escritor, pues de ese modo pueden expresar sus emociones escondidas, a la vez que se ocultan tras cierto anonimato.

En la película *El sexto sentido*, el niño médium de nueve años —Cole— es el clásico niño solitario. Cole ve fantasmas y está aterrorizado por los mismos. Su terapeuta —el doctor Crow— le alienta a que se comunique con los fantasmas y que les ayude a completar su misión en la tierra para poder seguir su camino. El giro inesperado al final de la película es que el propio terapeuta es un fantasma, y Cole le ayuda a darse cuenta de ello para que pueda seguir adelante.

---

Éstos son los roles disfuncionales que podemos adoptar cuando crecemos. Podemos adoptar otros roles en distintos momentos o quedarnos con uno principal. Siempre que adoptamos un papel perdemos contacto con nuestro auténtico yo. Cuando estamos tan desconectados, nos volvemos más vulnerables a no seguir el verdadero curso de nuestra propia vida.

## DESCONEXIÓN

La desconexión conduce a una serie de síntomas que se manifiestan en una etapa posterior de la vida, como:

- Dificultad para identificar y expresar los sentimientos.
- No expresar sentimientos y opiniones para mantener la paz.
- Problemas para formar y mantener relaciones íntimas y cercanas.
- Sentir la necesidad de guardar las distancias con otras personas.
- Tener expectativas poco realistas acerca de uno mismo y de los demás.
- Rigidez en la conducta y en las actitudes.
- Miedo a correr riesgos.
- Sentimiento exagerado de responsabilidad por los sentimientos o conductas de otros.
- Excesivamente absorto en las necesidades y problemas ajenos.
- Sentimiento de culpa sin razón alguna.
- Necesidad de aprobación, atención o apoyo constante de los demás.
- Miedo a cometer errores.
- Sentimiento de impotencia e ineptitud; nada sirve de nada.
- Miedo al abandono.
- Sentimiento exagerado de vergüenza y falta de autoestima.

Éstas son las recetas para no saber quiénes somos realmente o qué es lo que verdaderamente queremos hacer en la vida.

Así que la hermanastra mayor, pensando en que se casaría con el atractivo príncipe y que se convertiría en reina, obedientemente se cortó el dedo gordo. Aguantando el dolor, se calzó el zapato. Entonces se fue junto al hijo del rey que la ayudó a montar en su caballo y partieron juntos. No obstante, el príncipe no tardó en darse cuenta de la sangre que goteaba de su pie y descubrió que le habían engañado.

## Una visión psicológica para transformar el sufrimiento...

Afortunadamente, estos patrones de sufrimiento se pueden transformar, por mucho tiempo que lleven activos. Para transformarlos hará falta cierta diligencia y consciencia, pero el esfuerzo lo merece, pues más allá de estos roles que nos bloquean hay más vitalidad, energía, entusiasmo y autenticidad. Un gran modelo que nos enseña cómo trabajar con estos roles es El Drama del Triángulo. En este modelo sólo hay tres posiciones o roles que podemos representar: el Perseguidor, el Salvador y la Víctima. También podemos llamarlos: héroe, villano y damisela en apuros. Este modelo es útil para entender y transformar los patrones de sufrimiento en el puesto de trabajo, porque incluye la dimensión añadida de cómo los adultos interiorizan la ira, los patrones ofensivos y la forma en que a su vez podemos atacar y culpar a los demás.

### El Perseguidor

El Perseguidor es controlador, irascible, crítico y culpabiliza a los demás: autoritario, siempre tiene razón y es perfecto. Es la persona que marca estrictos límites y cree que el ataque es la mejor defensa. El Perseguidor obtiene su dosis de adrenalina de la ira y la rabia; tiene que controlarlo todo y utiliza la fuerza verbal o física para mantener su posición de poder; afronta las amenazas, ideas nuevas o conflictos con ira para permanecer por encima de todos; critica a las demás personas con aires de superioridad moral; encuentra razones para que los demás estén equivocados y luego crea chivos expiatorios; cree que los otros merecen ser castigados por sus faltas; y está convencido de su derecho sobre el resto.

## El Salvador

El Salvador es el clásico caballero de brillante armadura, cuyo rol es ayudar a otras personas. Implica un sentimiento de responsabilidad exacerbada por el bienestar de los demás y suele conllevar algún tipo de sacrificio personal. Al Salvador le gusta ponerse en una posición de superioridad moral; está estancado en un falso sentido de superioridad; se siente bien a costa de la incapacidad de los otros para cuidar de sí mismo; culpa del problema al Perseguidor; se guía por la ansiedad y necesita rescatar para calmarla; se siente culpable y egoísta cuando no se involucra en los problemas ajenos y puede llegar a convertirse en un mártir si los demás se aprovechan de él.

## La Víctima

La Víctima es el clásico «pobre de mí» que juega a estar avergonzado, deprimido, desesperanzado, indefenso, vulnerable y a ser infantil. La Víctima está estancada en un falso sentido de falta de autoestima; tiene una actitud pasiva-agresiva; se siente incapaz de responsabilizarse de sus sentimientos; se niega a actuar como un adulto responsable; fluctúa entre el «pobre de mí» y culpar a los demás; afronta las amenazas con la rendición; evita la confrontación; cree que sus necesidades no son importantes; se excusa por ser una víctima, se siente estancado e incapaz de lograr la realización personal y avanzar.

---

El Perseguidor suele negar por completo sus tácticas de ataque o de culpar. Cuando alguien se las indica, argumenta que el ataque está justificado y que es necesario para protegerse. La Víctima busca ser rescatada del Perseguidor. El Salvador cumple con su rol por su necesidad de sentirse útil y, por ende, importante. La Víctima, mientras siga en su papel, no puede tomar decisiones por sí misma o emprender ninguna acción significativa para poner fin a su drama. El Salvador dice: «Deja que te ayude», y busca víctimas para rescatar aunque éstas no deseen o necesiten un rescate. El Salvador mantiene a la Víctima en modo de indefensión y, básicamente, le sigue dando permiso para que continúe fracasando. (Por favor, téngase en cuenta que no me estoy refiriendo a incidentes donde se rescata a personas en peligro de muerte o de sufrir graves daños, como un socorrista que salva a una persona de ahogarse.)

En el trabajo, este triángulo es representado todos los días con dolorosas consecuencias por miles de personas. Aquí tenemos un ejemplo: el jefe y un trabajador tienen un desencuentro. El Jefe le dice al Trabajador A que no se está esmerando en su trabajo, y que a raíz de ello los demás tienen que trabajar más. El Trabajador B entra en escena y participa de la conversación apoyando al Trabajador A. Éste es el punto de partida del triángulo. Luego puede ir en distintas direcciones. Quizás el Jefe pasará de ser el Perseguidor a ser la Víctima, al no sentirse respaldado por el Trabajador B. Quizás el Trabajador A se lance a atacar y pase a ser el Perseguidor. Luego, el Trabajador B puede hartarse y atacar a los otros dos. Y así sucesivamente.

Cuando estamos en un triángulo, podemos rotar y ocupar todas las posiciones en cuestión de días o incluso de horas.

También podemos movernos rápidamente por el triángulo en nuestra propia mente. Por ejemplo, podemos ser autocríticos —el Perseguidor— por no haber terminado una parte del trabajo a la perfección. Podemos acobardarnos por este ataque y descender al papel de la Víctima: sentimiento de vergüenza y de falta de autoestima. Cuando ya estemos hartos de todo esto, buscaremos una salida —el Salvador— mediante la justificación, la negación o algún tipo de autoindulgencia.

No podremos salir del triángulo hasta que reconozcamos que estamos metidos en él. Cuando seamos más conscientes de estos papeles podremos observar cómo entramos en el triángulo y descubrir qué es lo que nos mantiene atrapados en él. Es importante que nos demos cuenta del coste y de las concesiones que implica cada uno de estos tres papeles. Cada rol tiene su propio lenguaje, creencias y conducta. Vivir siendo la Víctima es doloroso. Cuando sentimos dolor, buscamos alejarnos del mismo, y, en general, la conducta escapista genera más sufrimiento. Todas las personas implicadas en esta dinámica, en algún momento, terminan heridas y furiosas.

## EL TRIÁNGULO DEL DRAMA

1. Todas las situaciones surgen de la negación del dolor, de la vergüenza y de los sentimientos de culpa y falta de autoestima.
2. Todas las situaciones generan una pérdida de poder personal, sentimientos de ira y de ansiedad, y la sensación de estar anclado en una conducta disfuncional.

Cuando no somos capaces de responsabilizarnos de nosotros mismos, terminamos en el triángulo. Los Perseguidores traspasan la responsabilidad culpando a otros de sus infortunios. Las Víctimas buscan a otro para que se responsabilice de ellas. La forma de salir del triángulo es vivir siendo más conscientes, teniendo más compasión por nosotros mismos y más sentido de responsabilidad personal. Nos metemos inconscientemente en el triángulo y sólo podremos salir de él siendo más conscientes y teniendo más autoconciencia.

A veces, el mero hecho de estar con un sentimiento desagradable, en vez de actuar sobre el mismo evita que entremos en el triángulo. Si alguien te dice algo que te hace daño, puedes elegir cómo vas a responder. Una respuesta inconsciente te abrirá la puerta para que vuelvas a entrar en el triángulo. Cuando alguien te dice algo, provoca en ti una respuesta emocional, entonces puede que digas o hagas algo y... ¡ya la hemos liado!

No se trata de negar nuestros sentimientos, porque esto nos predispone a que se produzca una de estas tres situaciones. Cuando menospreciamos o negamos nuestras emociones, ya tenemos un pie en el triángulo. Por suerte, no importa si los demás eligen entrar o salir del triángulo. Tú puedes elegir por ti mismo. Esta elección cambiará toda tu dinámica entre tus compañeros de trabajo y tú. Si eliges no jugar más a ese juego, pero los otros sí quieren seguir, tendrán que encontrar a otra persona para mantener esa dinámica. Y salir del triángulo no es algo que pueda hacerse a la primera. Es un proceso, y si te das cuenta de que has vuelto a entrar, párate y respira, reconoce tu verdad, perdónate y sal.

## Transformar el drama del triángulo

### *Perseguidor*

- Deja de racionalizar y de justificar tus conductas y creencias dominadoras.
- Abandona la necesidad de tener razón y de ser superior a los demás.
- Sé sincero contigo mismo: dite la verdad.
- Sé consciente de cuándo pretendes salirte con la tuya, y simplemente frena esa conducta.
- Diferencia entre agresión y aserción.
- Encuentra formas más saludables de liberar tu ira.
- Haz una pausa y aléjate antes de insultar o agredir físicamente.
- Acepta tu vulnerabilidad en lugar de reaccionar con furia cuando estés estresado o te sientas amenazado.
- Pide perdón a las personas a las que has hecho daño.

### *Salvador*

- Deja de afirmar tu autoestima rescatando a los demás.
- Deja de racionalizar y de justificar tu conducta.
- Deja de pensar que sabes lo que es mejor para los otros.
- Preocúpate de tus propios problemas, defectos y emociones negativas.
- Deja de dar consejos, dinero o respaldo a los que te rodean.
- Sugiere a los demás que busquen ayuda profesional.
- Sé consciente de cómo el sentimiento de culpa te ata al drama.
- Deja de sentirte culpable tomándote un tiempo libre.

- Considérate una persona con barreras saludables.
- Anima a la «víctima» a que se responsabilice de sí misma.

*Víctima*

- Deja de esperar que alguien te rescate.
- Desafía toda creencia o pensamiento que te diga que no vales y que no puedes cuidar de ti mismo.
- Responsabilízate de tus sentimientos, pensamientos y acciones.
- Deja de estar enfadado por ser el chivo expiatorio.
- Empieza a resolver los problemas por ti mismo.
- Sé auténtico con los demás y aprende a expresar claramente tus necesidades.
- Sé consciente de tu «discurso de víctima».
- Aprende a afrontar la confrontación y a manejar la ira de otras personas.
- Pon barreras saludables y aléjate de los que no las respeten.
- Busca amigos nuevos, positivos y que te respalden.
- Defínete como una persona capaz de manejar los problemas de la vida.

## Una visión espiritual del sufrimiento...

Hemos visto la visión psicológica para liberarnos del sufrimiento, así que ahora nos toca la visión espiritual. Cuando el Buda se sentó debajo del árbol de la Bodhi y alcanzó la iluminación, tuvo algunas revelaciones profundas sobre la naturaleza de la realidad y del sufrimiento. Las denominó las Cuatro Nobles Verdades. Vale la pena destacar que en sánscrito clásico, el término *dukkha*, que suele traducirse como «sufrimiento», probablemente procede de una palabra que significa «desasosiego». Los budistas suelen describir su significado como un gran torno de alfarero que chirría al girar. Lo opuesto a *dukkha* es la palabra *sukha* que describe un estado de existencia que es como el torno del alfarero que gira suavemente y sin hacer ruido. Las Cuatro Nobles Verdades son tan importantes hoy en día en los puestos de trabajo como lo eran en la India en el año 500 a. C.

## La Primera Noble Verdad

La Primera Noble Verdad es que el sufrimiento existe. En algún momento de nuestra vida, inevitablemente experimentaremos alguna enfermedad o lesión, envejeceremos y, por último, nos sobrevendrá la muerte. También puede que experimentemos sufrimiento psicológico como tristeza, pérdida, miedo, odio y frustración. Del mismo modo que hay sufrimiento, también hay tranquilidad, alegría, pasión y admiración. Nada es permanente y todo está sujeto al principio de impermanencia. Todo pasará; un día nuestra profesión y todos nuestros logros pasarán, y así es la vida. La Primera Noble Verdad nos incita a comprender y a aceptar la existencia del sufrimiento.

## La Segunda Noble Verdad

La Segunda Noble Verdad es que hay causas que son el origen de nuestro sufrimiento como el deseo, el aferramiento, la codicia y el odio. Por ejemplo, cuando perseguimos cosas pasajeras como la fama, el prestigio, la popularidad y la riqueza, inevitablemente sufrimos. Podemos estar aferrados a muchas cosas, experiencias, recuerdos y resultados —ideas y opiniones, a creer que tenemos razón, a un rol, a una falsa identidad y a una conducta habitual— que nos causen sufrimiento. Podemos sufrir de muchas formas, la Segunda Noble Verdad nos anima a conocer las causas de nuestro sufrimiento.

## La Tercera Noble Verdad

La Tercera Noble Verdad es que podemos transformar el sufrimiento. Cuando aprendemos a transformar el deseo, el aferramiento, la codicia y el odio, podemos despertar a estados de paz, compasión y dicha superiores. La Tercera Noble Verdad nos incita a comprender que más allá del sufrimiento siempre es posible hallar la libertad, el bienestar y la dicha.

## La Cuarta Noble Verdad

La Cuarta Noble Verdad es que existe un camino que puede transformar el sufrimiento. Es el sendero intermedio entre los dos extremos. Éste es el Óctuple Sendero de la liberación.

> *Lo cierto es que nuestros mejores momentos es más probable que se produzcan cuando sentimos un profundo malestar, una profunda infelicidad o una profunda insatisfacción. Pues sólo en esos momentos, cuando estamos impulsados por nuestro malestar, es probable que salgamos de nuestra rutina y empecemos a buscar otros caminos o respuestas más auténticas.*
>
> M. SCOTT PECK

## El dolor es inevitable, el sufrimiento es opcional...

Quizá pensemos que el sufrimiento y el dolor son lo mismo, pero el sufrimiento no es lo mismo que el dolor. En este mundo el dolor es inevitable, no podemos escapar del mismo. Está el dolor del nacimiento, de la enfermedad, de la pérdida, del envejecimiento y de la muerte. Sin embargo, el sufrimiento es la forma en que afrontamos el dolor. Si lo evitamos, negamos o reprimimos, sufriremos inevitablemente. Puede que temamos que nos despidan y que suframos por ello durante años sin motivo alguno. Hasta que un día sucede inesperadamente. En todo ese tiempo anterior al hecho real hemos creado toda una historia ficticia sobre el despido. Esta historia nos dice que el despido es malo y que hemos de evitarlo a toda costa; y nos ha creado años de sufrimiento. La experiencia real del despido puede ser bien distinta, quizás hasta sea una liberación de un trabajo que no nos motivaba. Podemos experimentar cierto dolor cuando se produce el despido real, quizá sorpresa y tristeza, pero podemos liberarnos de esto rápidamente si lo aceptamos y nos permitimos sentirlo. Pero también podríamos volver a usar este mismo dolor —si así lo deseamos— para seguir alimentando esa historia y hacerla más grande. Podríamos reprendernos a nosotros mismos o quejarnos de nuestra suerte durante muchos años.

Enfrentarnos al dolor en vez de negarlo evita que éste se convierta en sufrimiento crónico. El dolor reconocido puede ser útil. Por ejemplo, cuando Carl Jung rondaba los cuarenta años, atravesó una gran crisis en su vida. Se produjo al comienzo de la Primera Guerra Mundial. Jung se desbordó con las emociones e imágenes de su inconsciente y sintió que el suelo se derrumbaba a sus pies. Al final, recordó una imagen de su infancia, de cuando fabricaba cosas con trozos de madera y piedras. El recuerdo estaba tan cargado de emoción que decidió seguirlo, y volvió a jugar con trozos de madera y piedras. Lo hacía durante la hora de comer y al final del día cuando se marchaban sus pacientes. En ese tiempo construyó una maqueta de un pueblo, grabó sus sueños y fantasías e hizo esculturas y dibujos. Este periodo de su vida duró tres años. Posteriormente, dijo que fue la etapa más importante de su vida, en la que construyó los cimientos de su futuro trabajo.

Habrá muchos momentos en nuestra vida en los que nos sintamos insatisfechos con lo que estamos haciendo o con el objetivo que nos hemos propuesto. Quizá ni siquiera seamos capaces de expresar este sentimiento de infelicidad, pero está ahí, molestándonos desde un segundo plano. Lo que hagamos con este descontento determinará nuestro futuro. Podemos reprimirlo, fingir que no existe o atenderlo. Si no lo atendemos, el descontento puede transformarse en formas más profundas de sufrimiento. Cuando Carl Jung experimentó insatisfacción, confió en que le estaba sucediendo por alguna razón, y eso le abrió la puerta a toda una nueva etapa en su vida. Fácilmente podía haber evitado, reprimido o haberse resistido a estos sentimientos de insatisfacción.

En lo que al dolor se refiere, utilizar calmantes no es la solución; acaban convirtiéndose en parte del problema. Puede que conozcas el síndrome de la rana hervida. La idea básica —que puede parecer cruel— es que, si colocamos a una rana en agua hirviendo, ésta saltará para escaparse, pero si la colocamos en agua fría y la vamos calentando a fuego lento, no se percatará del peligro y se irá cociendo hasta morir. Afortunadamente, según los biólogos modernos, esta historia no es cierta; si colocamos a una rana en agua que se va calentando lentamente, al final acabará saltando. ¡Esperemos que sea igual para los seres humanos!

*Como una vela no puede arder sin fuego,*
*no podemos vivir sin una vida espiritual.*

EL BUDA

## Una visión espiritual para transformar el sufrimiento...

El Buda, cuando era un joven príncipe, pasó de una vida de lujos y excesos en su palacio a una vida de autonegación, como asceta errante antes de su iluminación. Según una de las leyendas, abandonó el camino de la autonegación cuando oyó a un grupo de bailarines del templo cantar una canción: «Bien va la danza cuando el sitar está afinado. Afínanos el sitar ni demasiado bajo ni demasiado alto. La cuerda demasiado tensa se rompe, y la música se esfuma. La cuerda demasiado floja es muda, y la música muere». El Buda se lo tomó al pie de la letra y renunció inmediatamente a la senda del ascetismo extremo.

Tras su iluminación, esto se convirtió en el Camino Intermedio, la senda de la moderación entre los extremos. El Camino Intermedio es una forma de sabiduría y de discernimiento que nos guía a través de la dualidad entre lo bueno y lo malo y entre los extremos del trabajo estresante y monótono, del trabajo inseguro y fijo, del ejecutivo agresivo y el trabajador sumiso. En la vida cotidiana es la senda entre sacrificarse y excederse, y entre vivir una vida moderna y realizar una práctica espiritual. No es una meta final, sino más bien un proceso constante, es el viaje del despertar y de la realización.

La senda que enseñó el Buda hace más de 2.500 años para transformar el sufrimiento es el Noble Óctuple Sendero. Nos ofrece una metodología para la transformación a través de ser conscientes, de la atención plena y de vivir con rectitud. Aunque esta antigua práctica es budista, no es necesario tener ninguna creencia religiosa específica, pues no es un camino de fe, sino de experiencia. Puedes ser ateo, cristiano, hinduista, judío, musulmán, funcionará igual. Este camino se presenta de forma lineal, pero esto no significa que sea una secuencia de pasos individuales, sino que más bien es un conjunto de principios interdependientes, aunque la mente puede convertir cada paso en la meditación del día.

Esta práctica es ideal para cambiar tu visión y conducta sobre tu ocupación actual. También puede preparar tu mente para otros tipos de trabajo más adecuados a tu verdadera naturaleza. Todos los pasos están relacionados de algún modo con la mente, con nuestra visión del mundo, con nuestras intenciones, con nuestros objetivos, con las decisiones que tomamos todos los días, con nuestra forma de ganarnos la vida, etc. Algunas escuelas de budismo —chino y japonés— dicen que una mente que no está entrenada es como un mono que salta de árbol en árbol. La «mente del mono» puede estar confundida, trastornada, desanimada, ser voluble, fluctuante, histérica, indecisa, dubitativa, fácil de tentar, inquieta, estar alterada y preocupada. La mente del mono puede crear el caos, sin embargo, la mente entrenada es una fuente de gran paz, compasión, inspiración y dicha. El Óctuple Sendero es la senda de la purificación, el entrenamiento y la liberación de la mente.

## EL ÓCTUPLE SENDERO

1. **Visión correcta.** Es ver el mundo sin juzgarlo. Cuando juzgas y etiquetas las cosas, no puedes ver la naturaleza esencial de la cosa o de la persona que estás juzgando. Cuando juzgas y etiquetas a otros, es más probable que te juzgues y etiquetes a ti mismo. Practica sacarte las etiquetas. Practica sacarte los filtros y abre los ojos para ver la verdadera esencia en los demás. Busca lo bueno y la luz que hay dentro; no busques los defectos. Practica ver la novedad en las situaciones, aunque las hayas examinado muchas veces. Ten presentes las Cuatro Nobles Verdades.

2. **Intención correcta.** Es tener una intención pura en todo lo que haces. Cuando tu motivación es la envidia, la codicia o la malicia, tus acciones

siempre estarán contaminadas. Cuando estás motivado por el amor y la alegría y por el sentimiento de comunión con los demás, éstos responderán a la pureza de tu intención. Pregúntate regularmente por qué haces lo que haces, qué es lo que te va a proporcionar, y cómo va a beneficiar a los otros y a ti mismo. No hagas nada que no sea ético. Procura conocer tus valores y cuál es la contribución que estás destinado a hacer en este mundo.

3. **Habla correcta.** Es el arte de desarrollar el habla compasiva y evitar el lenguaje agresivo como: «Vamos a acabar con la competencia», «Es un mundo en el que el pez grande se come al pequeño», «Si no aguantas el calor, sal de la cocina». Evita conversaciones nocivas y superfluas. Por el contrario, practica el habla compasiva. Practica decir sí y no con compasión. Practica hablar con dulzura. Si no puedes hacerlo, practica hablar sin juzgar. Si no puedes, practica el silencio.

4. **Acción correcta.** Se refiere a la ley del karma: el principio de acción y reacción, tal como se describe en la Biblia en la frase: «Lo que siembres, cosecharás». Realiza acciones que generen situaciones en las que todos salgan ganando. No insultes, hieras, humilles o intimides a los demás. No intentes apoderarte de lo que no te pertenece. Evita ingerir sustancias tóxicas. Evita trabajos que estén en contra de tus principios básicos. Por el contrario, aprende a decir «no». Actúa compasivamente y con sinceridad y mantén buenas relaciones con los demás. Da pasos pequeños pero firmes hacia tus intenciones superiores. Intenta inspirar a los demás y a ti mismo con tus acciones. Haz que tus acciones sean un reflejo de tus ideales superiores. De este modo transformas tu mundo —interno y externo— a través de la acción. Aprende a fluir y a actuar sin esfuerzo, en vez de actuar forzadamente.

5. **Sustento correcto.** El sustento correcto significa ganarse la vida de una manera ética, legal y pacífica. El Buda menciona cuatro áreas específicas de trabajo que deberían evitarse: traficar con armas; traficar con seres vivos, incluido criar animales para el consumo, el tráfico de esclavos y la prostitución; dedicarse a la producción de carne y a la matanza; traficar

con sustancias tóxicas y venenosas, como el alcohol y las drogas. Ahora existen más formas de trabajar y perjudicar a los demás y al planeta. Pregúntate si es ético el campo laboral en el que trabajas. Busca un trabajo con el que realmente contribuyas a la sociedad. Trabaja en armonía con tus verdaderos valores. Busca un trabajo que te ayude a realizar tus dones y talentos latentes.

6. **Esfuerzo correcto.** Hemos de ser responsables de utilizar el esfuerzo correcto porque nadie puede hacer eso por nosotros. Podemos emplear nuestra energía mental para obtener resultados saludables o nocivos. Éste es el esfuerzo de desarrollar la determinación de utilizar la mente de manera correcta. Utilizamos la mente de forma nociva cuando nos concentramos en la lujuria, la animadversión, la preocupación o en cosas que la enturbian. La energía mental es la fuerza que hay detrás del esfuerzo correcto: el mismo tipo de energía que alimenta el deseo, la envidia, la agresividad y la violencia puede ser también el combustible para la autodisciplina, la sinceridad, la benevolencia y la amabilidad. Acostumbra a tu mente a buscar la belleza, la compasión y la tranquilidad en el mundo. Concéntrate en el optimismo y el entusiasmo, en lugar de hacerlo en el pesimismo o la depresión. Practica la ecuanimidad, la amplitud, la posibilidad y la expansión.

7. **La atención plena correcta.** Es la habilidad mental de ver las cosas tal como son, con una visión clara y una consciencia clara. Sé consciente de tu mundo de pensamientos, sentimientos y sensaciones físicas internos. Aprende a centrarte en tu vida y en tu trabajo. Haz que todo sea una meditación. Fregar los platos puede ser una meditación, igual que caminar o teclear. Sé consciente de tu entorno. Sé consciente de la vibración que hay con tus compañeros de trabajo. Sé consciente de las personas con las que hablas y de tus acciones. Practica la tranquilidad interior y haz una pausa antes de responder al mundo.

8. **Concentración correcta.** Es la práctica de la meditación. La mayoría nos distraemos fácilmente y tenemos la tendencia a la multitarea hasta

extremos absurdos. Evita dispersarte y malgastar tu energía en distracciones inútiles. Céntrate en tus valores más importantes. Practica la concentración mental como si fuera un láser, dirígela hacia una cualidad como el amor o el juego. Practica también una forma más difusa de concentración, por ejemplo, observar a lo largo del día toda la alegría que te rodea. La mente es como una lupa: puede enfocar o desenfocar. Practica ambas cosas.

## Declaración de intenciones

1. Estoy dispuesto a presenciar y a transformar todo el sufrimiento que surge en mi trabajo. Estoy dispuesto a liberarme de la limitación de todos mis condicionamientos, creencias, suposiciones, pactos inconscientes, obligaciones, dramas, de la actitud de perseguidor, salvador o víctima que me bloquean.
2. Estoy dispuesto a ser más auténtico, estar más presente, ser más consciente en mi vida y en mi trabajo. Estoy dispuesto a dejar de confiar excesivamente en vivir con el piloto automático. Estoy dispuesto a ser totalmente yo mismo.
3. Estoy dispuesto a transformar mi actitud y mi perspectiva en mi trabajo. Estoy dispuesto a afrontar todos mis temores sobre el presente y el futuro. Estoy dispuesto a ver un futuro brillante, expansivo, incitante y esperanzador abriéndose ante mí.
4. Estoy dispuesto a reconocer que mi tiempo en la Tierra es limitado. Estoy dispuesto a reconocer que mi tiempo es muy valioso. Estoy dispuesto a utilizar mejor mi tiempo.
5. Estoy dispuesto a aceptar la totalidad de mis dones, recursos, aptitudes y talentos. Estoy dispuesto a utilizar mi intelecto con mi imaginación y mi intuición. Estoy dispuesto a desarrollar mis aptitudes. Estoy dispuesto a encontrar mi lugar en el mundo. Estoy dispuesto a escuchar la información que recibo y a utilizarla correctamente.
6. Estoy dispuesto a divertirme, a estar de buen humor, a reírme y al juego creativo en mi trabajo. Estoy dispuesto a no tomarme tan en serio.
7. Estoy dispuesto a divertirme, a jugar y a que entren en mi vida personas positivas. Estoy dispuesto a abrirme y a conectar de verdad con otros exploradores y pioneros de los campos que he elegido.
8. Estoy dispuesto a que mi trabajo sea una historia de amor. Estoy dispuesto a descubrir mis verdaderos principios. Estoy dispuesto a que el entusiasmo y la alegría entren en mi trabajo. Estoy dispuesto a disfrutar con lo que hago. Estoy dispuesto a que se me revele cuál va a ser el trabajo de mi vida. Estoy dispuesto a soñar con mi trabajo hasta que se haga realidad.

9. Estoy dispuesto a fluir como el agua en vez de luchar. Estoy dispuesto a actuar sin esfuerzo de acuerdo con mis verdaderos principios. Estoy dispuesto a estar en el lugar correcto en el momento correcto. Estoy dispuesto a que mi trabajo se desarrolle con facilidad y gracia. Estoy dispuesto a trabajar con más dicha si cabe.
10. Estoy dispuesto a emprender este viaje y encontrar mi propio camino. Estoy dispuesto a confiar en mi guía interior y a terminar este viaje, dondequiera que me lleve.

# 3

# La reinvención del trabajo

«La verdadera revolución social de los últimos treinta años, la que todavía estamos viviendo, es el cambio de una forma de vida en la que todo estaba mayormente organizado en nuestro nombre y que una vez decidimos aceptar, a un mundo donde se nos obliga a responsabilizarnos de nuestro destino.»

CHARLES HANDY, ESCRITOR
Y ASESOR EMPRESARIAL

Thomas Anderson, durante el día, es un respetable programador informático; por la noche es un *hacker* que se apoda Neo. Neo está buscando una respuesta a la pregunta «¿Qué es Matrix?» Trabaja solo en casa esperando un indicio, una señal. ¿De qué o de quién?, no lo sabe. Una noche empiezan a aparecer mensajes crípticos en su pantalla de ordenador y Trinity, que conoce el enigma que Neo desea desvelar, contacta con él. Trinity presenta a Neo al líder de los rebeldes, llamado Morfeo, que conoce la respuesta a la pregunta. Morfeo le ofrece una opción a Neo: tomar la píldora roja y conocer la verdad sobre Matrix, o tomar la píldora azul, olvidar que le ha conocido y regresar a la «fachada» del mundo cotidiano.

## La Matriz del trabajo...

En el mundo laboral vivimos en una matriz de ideas obsoletas y suposiciones que en gran parte no son nuestras. Hasta que no liberemos nuestra mente de todas esas construcciones mentales, seguiremos luchando y sufriendo. Estas viejas construcciones son como un campo eléctrico invisible que impide que conozcamos nuestro verdadero valor y potencial.

Las ideas son muy poderosas. Una idea puede sobrevivir a un ser humano. Hay muchas ideas que han condicionado el pensamiento y la experiencia humana durante siglos. Por ejemplo, las ideas religiosas de que hemos «nacido en pecado» y que fuimos expulsados «del Paraíso» han persistido durante un milenio. La idea de que la Tierra era plana condicionó la conducta humana durante siglos. Sin embargo, la idea de que nos casamos por amor es relativamente nueva: nuestros antepasados, en la gran mayoría de los casos, se casaban por conveniencia social.

También hay ideas y suposiciones sobre el trabajo que han ido evolucionando en el transcurso de miles de años. Nuestros antepasados lejanos vagaban por la tierra como cazadores-recolectores nómadas. Este trabajo se concentraba en satisfacer las necesidades inmediatas y más básicas de la comunidad para sobrevivir y medrar. Era una forma de vida que implicaba un movimiento constante y la interacción con el mundo salvaje. Había peligros, pero nuestros antepasados estaban muy integrados en su entorno y sabían cómo hacerles frente. Esta forma de vida condujo al establecimiento de un profundo vínculo y respeto por la naturaleza y la propia Tierra. Se respetaba a los animales por su poder espiritual y los chamanes emprendían sus viajes hacia los mundos espirituales con animales como aliados; de esos viajes regresaban con directrices y con más sabiduría. En esas culturas, la Tierra era considerada una gran Madre abastecedora, y en general, las personas han vivido en armonía con la Tierra hasta hace unos 12.000 años.

Luego, de forma gradual en los dos mil años siguientes, las tribus nómadas descubrieron la agricultura y la domesticación de animales, y muchas empezaron a aposentarse; creando de ese modo, los cimientos de la civilización moderna y la diversificación del trabajo. Con el tiempo, la sociedad se desarrolló en torno a tres clases diferentes: los que rezaban, los que protegían y los que trabajaban. El trabajo podía ser duro físicamente, pero también era lúdico. Era normal que el trabajo, el descanso y la celebración se entremezclaran. En general, ésta era la forma de vida que imperaba en Europa hasta el siglo XVIII.

Entonces se produjo la Revolución Industrial, que empezó gradualmente, hasta que de pronto cobró impulso. El paisaje de Gran Bretaña —cuando empezó— no tardó en llenarse de máquinas de vapor, fábricas, canales, carreteras y vías de ferrocarril. A medida que aumentaba el número de fábricas, la gente del campo empezó a emigrar a las ciudades en busca de un trabajo mejor pagado. No sólo se contrataba a los adultos para trabajar, sino también a los niños, que empezaron a trabajar en fábricas y minas. Tanto adultos como niños pasaban la mayor parte de sus horas de trabajo en las máquinas, y tenían poco tiempo para estar al aire libre o hacer ejercicio. Fueron tiempos muy difíciles para muchos trabajadores. Pues para los que no trabajaban allí, siempre estaban las duras condiciones de las *workhouses**. La escasez estaba muy extendida y las condiciones de vida eran de pobreza y hacinamiento. Las cosas fueron mejorando gradualmente y las leyes empezaron a proteger a los trabajadores menores y a los adultos de los graves abusos que cometían los patrones.

Neo, el héroe de nuestra historia, elige la píldora roja y es rápidamente transportado a un viaje dentro de Matrix. Descubre atónito que la vida en la Tierra es una elaborada fachada creada por una malévola inteligencia cibernética para dominar el mundo «real». Se une a la resistencia rebelde y aprende muchas habilidades nuevas. Al final, está preparado para regresar a la «construcción mental» de Matrix para enfrentarse a la ciberinteligencia que mantiene esclavizada a la humanidad.

* Centros de acogida para pobres donde estaban obligados a trabajar a cambio de comida y alojamiento. *(N. de la T.)*

Entonces empezó otra revolución. Desde comienzos de la historia, la información sólo podía viajar a la velocidad que alcanzara un barco, un carruaje, un caballo o una persona que pudiera caminar. A finales del siglo XIX, se inventó la radio. En los setenta años siguientes, se inventó la televisión, la televisión por cable de fibra óptica, el teléfono móvil, el ordenador personal, Internet y los satélites que orbitan alrededor de la Tierra. En poco tiempo, la información se podía transmitir a toda velocidad. Esto hizo posible que compartir ideas, conocimientos y habilidades fuera más fácil y rápido. Los países que se sumaron a estas tecnologías se fueron alejando de la producción de bienes de consumo para dedicarse a proporcionar servicios. La importancia del trabajo manual fue descendiendo paulatinamente y se pasó a valorar más el trabajo profesional y técnico. El trabajo ya no estaba confinado a las fronteras de ningún país. El mundo no tardó en convertirse en una especie de gran ciudad global.

## La matriz tiene peldaños...

Aunque nuestro mundo no está dominado por una malévola ciberinteligencia, sí es cierto que vivimos en una especie de matriz. Y esta matriz puede mantenernos en cierto grado de esclavitud inconsciente. Nuestra forma de pensar y de comportarnos en el trabajo, condicionada por la cultura, procede de una matriz mental cuya estructura se asemeja a la de una pirámide de peldaños: tiene una serie de peldaños. El peldaño inferior es la forma de vida nómada tribal. No habríamos sido capaces de pasar a una forma de vida basada en la agricultura sin antes haber experimentado este estilo de vida nómada. Y sin la Revolución Agrícola, no habríamos podido dedicar nuestro tiempo a pensar en construir motores y fábricas. Sin la Revolución Industrial, la Era de la Información Virtual no hubiera tenido lugar.

Se ha producido una evolución del trabajo que se remonta a miles de años. Cada paso es importante y necesario. ¿Te imaginas a una tribu cazadora-recolectora familiarizándose con un ordenador y navegando por Internet? Tendrían que aprender y comprender muchas cosas antes de llegar a eso. No es sólo una cuestión de habilidades y conocimiento, sino de tener cierta actitud mental o identidad. Las actitudes ancestrales sobre el trabajo están profundamente arraigadas en nuestra psique colectiva.

## La forma de vida industrial

Hace unos cuantos cientos de años, nuestros predecesores dieron un gran salto, pasaron de la forma de vida agrícola a la industrial. Para muchas personas fue muy traumático: tiempos de duro y sombrío trabajo o, lo que es peor, de la temida *workhouse*. Los que luchaban contra el sistema —los ludistas*, por ejemplo— fueron violentamente acallados, o fueron asesinados o desterrados a las colonias de ultramar.

Te estarás preguntando el porqué de esta lección de historia; pues bien, la forma de pensar de esa época creó tanto avances como sufrimiento, y esta idiosincrasia sigue viva en el corazón y en la mente de muchas personas. La Era Industrial generó una serie de ideas nuevas que todavía hoy siguen influyendo en nosotros. Puede que hayas nacido en la Era de la Información Virtual, pero tus padres, abuelos y bisabuelos trabajaron en la Era Industrial. Han transmitido sus experiencias, valores, suposiciones y creencias a través de su linaje familiar.

Entonces, ¿en qué se basa esta mentalidad anticuada? Bien, por primera vez, la competitividad se convirtió en un principio principal a gran escala: había ganadores y perdedores. Sólo había cierta cantidad de pastel, y si tenías un trozo grande, significaba que había menos para otro. Esto implicaba que una persona, compañía o nación ganaba a expensas de otro. Para que funcionara el sistema, tenías que saber cuál era tu lugar; esto era una forma de actuar autoritaria, de mando-y-control. En general, hacías lo que te decían o de lo contrario... Era una época en que la clase todavía dividía a las personas. Imperaba la mentalidad del «arriba y abajo». Las reglas eran rígidas y no negociables. La estabilidad, seguridad y permanencia eran los valores importantes de esta era. Había una uniformidad en las tareas y en las

---

* También luditas, movimiento obrero del siglo XIX, en Inglaterra, que se rebelaba contra las máquinas. *(N. de la T.)*

asignaciones. El trabajo era muy repetitivo, ya fuera físico o mental. Se solía comparar y contrastar el rendimiento laboral entre los compañeros. Era una cultura-de-elogio-o-culpa: era crítica y centrada en lo negativo. El valor de una persona solía medirse según sus logros, aspecto, rendimiento, riqueza y clase social. La iniciativa era criticada y, a veces, penalizada. Las emociones se consideraban una debilidad y se reprimían. Estabas allí para trabajar, no para emocionarte. A las mujeres se les permitía tener emociones de vez en cuando, pero corrían el riesgo de ser etiquetadas de histéricas e impredecibles. Los hombres y las mujeres eran tratados y remunerados de forma diferente. Era una manera estereotipada de trabajar, en la que papá iba a trabajar y mamá se quedaba en casa a cuidar de los niños. Había trabajos específicos para cada sexo. Los hombres conducían autobuses y las mujeres eran enfermeras. Los hombres eran jefes y las mujeres subordinadas.

## La forma de vida de la Era de la Información Virtual

Estamos entrando en una nueva era laboral, pero en cierta medida seguimos acarreando nuestra mentalidad antigua. Este desequilibrio puede crear fricciones, tensiones y conflictos. Dicho esto, actualmente en el trabajo no se valora tanto el esforzarse mucho como la velocidad y la rápida transmisión de la información. En vez de normas rígidas, se prefieren formas de trabajar flexibles. Se busca un contexto mental y emocional de cooperación ventajosa para todas las partes, en lugar del viejo estilo combativo. Ya no se trata de estar sentado en una mesa de despacho de nueve a cinco aparentando estar ocupado; hay muchos trabajos que puedes realizar desde casa —o desde cualquier parte— conectándote a Internet. Ahora se fomenta activamente la innovación, en vez de penalizarla. Te animan a que mejores constantemente probando cosas nuevas. Ahora lo que importa no es la conformidad, sino estar conectado, cooperar y trabajar en equipo. Se trata de tener una actitud de adaptación, de tener recursos y de ser flexible.

Se te anima a que tengas más responsabilidad personal y control sobre tu trabajo. En vez de mando y control, hay negociación y acuerdo. Ahora, la libertad y la autonomía es lo que importa. Con estas formas más fluidas de trabajar, puedes realizar tu trabajo de otra manera e incluso colaborar con varios clientes a la vez. Estamos más concienciados en utilizar nuestros potenciales, en lugar de intentar ser buenos en todo o dedicarnos a mejorar aquello que no dominamos. En vez de la crítica y la alabanza, hay evaluaciones y métodos acordados de recopilar información sobre ti para ayudarte a ajustar y a mejorar tu rendimiento. El viejo estereotipo sobre los roles masculino y femenino se está rompiendo, y en este acelerado mundo, normalmente, el padre y la madre van a trabajar.

Así que estamos con un pie en el mundo de la Era Industrial, que estamos despidiendo, y con el otro en la Era Virtual, en la que estamos entrando. Esto no se está produciendo sin problemas; el antiguo modelo de dirección de mando-y-control se resiste a morir. Por experiencia personal, conozco lo doloroso que es pasar de una forma de pensar a la otra. No tiene nada que ver con la tecnología o con las prácticas laborales, sino con cambiar nuestra forma de pensar y nuestros valores respecto al trabajo. En cierto modo, en mayor o menor medida todos nos oponemos al cambio, igual que los ludistas. Todavía estamos aprendiendo a caminar por el sendero que nos conduce desde lo Industrial a lo Virtual y más allá de este último.

### LA CONCIENCIA-IDENTIDAD TRIBAL

Ésta es la forma de vida más básica para la existencia humana. Existe una fuerte identificación con el grupo y un débil o inexistente sentido de individualidad. No es una forma de pensar en primera persona del singular, sino en la primera del plural. La conciencia tribal también puede ser «nosotros» y «ellos». Separarse de la tribu suele suponer la muerte. Es una forma chamánica y mágica de vivir en el mundo, donde todo está interconectado y todo tiene espíritu.

## LA CONCIENCIA-IDENTIDAD AGRÍCOLA

Esta conciencia está íntimamente relacionada con la tierra y la naturaleza estacional del trabajo. También está asociada con el pensamiento y el trabajo feudal. Con esta mentalidad, trabajar la tierra puede ser duro. Nada crece por sí solo. Debido a la naturaleza comunal de trabajar la tierra, la comunidad es importante y se festeja. También es una forma de vida basada en la magia, donde los rituales en cada estación para bendecir los frutos de la tierra tienen un papel importante.

## LA CONCIENCIA-IDENTIDAD INDUSTRIAL

La Era Industrial se basa en la producción masiva. Se necesitan máquinas y capital. Se necesitan personas pero éstas son sustituibles. Se trata de manipular los recursos de la tierra y los secretos de la naturaleza. Se basa en asumir riesgos y en la competitividad de forma que los individuos, los grupos y las naciones buscan imponerse por medio de la fuerza y del comercio agresivo. El trabajo para toda la vida, la estabilidad, la seguridad y la permanencia son valores importantes, como lo son los logros, el aspecto, la riqueza y la clase social. La eficiencia se logra a costa de la conformidad, que se impone mediante reglas y castigos. El trabajo es duro, físico y muy repetitivo. Los trabajadores sólo están para rendir y producir.

### LA CONCIENCIA O IDENTIDAD INFORMATIVA-VIRTUAL

A diferencia de la producción masiva, ésta se basa en la exclusividad, creatividad, innovación, cooperación y conexión. La velocidad y el rápido acceso a la información es lo que más importa. Con Internet, podemos acceder a la información y comunicarnos desde casi cualquier lugar del mundo. Ya no es necesario estar pegado a una mesa de despacho o a un lugar fijo. Ahora el trabajo cruza fronteras nacionales; equipos de todo el mundo pueden trabajar juntos en un mismo proyecto. Es esencial saber trabajar en equipo. Los valores que importan son la libertad, la autonomía, la responsabilidad personal, la innovación, la flexibilidad y el control personal. Los contratos de trabajo pueden reflejar una forma de trabajo más flexible. Se puede trabajar a cualquier hora todos los días de la semana. Se puede subcontratar trabajos.

## La Era de la Información Virtual está evolucionando y se está expandiendo...

El trabajo sigue cambiando a medida que cambia la tecnología y cada día circulan por la Red más tipos de trabajo. Muchas personas dicen: ¿Para qué voy a ir a hacer cola a la consulta médica cuando puedo mandarle un correo electrónico a mi médico o hablar con él por videoconferencia para que me diagnostique? ¿Por qué voy a pagar cien libras a un destacado bufete de abogados por una hora de asesoramiento legal cuando puedo consultar con un abogado virtual por mucho menos? ¿Por qué pagar costosos cursos presenciales de formación cuando puedo estudiar *online* a mi propio ritmo y me va a costar mucho más barato? ¿Por qué pagar un local caro de oficinas cuando puedo crear una oficina virtual o contratar a un asistente personal virtual que será flexible, acomodaticio y estará accesible desde casi cualquier parte del mundo? ¿Por qué comprar música en una tienda cuando es más fácil y barato hacerlo por Internet? ¿Por qué grabar música en un estudio cuando podemos colaborar y crear música *online*? ¿Por qué gastar dinero enviando documentos por un servicio de mensajería cuando podemos enviarlos al instante al otro extremo del mundo?

## La Era de la Información Virtual sigue creciendo exponencialmente...

Hacia finales de 2010 aproximadamente:

- 800 millones de personas eran usuarias activas de Facebook.
- 800 millones de personas al mes utilizaron la herramienta de búsqueda Google.
- 560 millones usaron Skype.
- 175 millones utilizaron Twitter.
- Se enviaron 2.500 millones de *tweets* a través de Twitter.
- Se compartieron 5.000 millones de fotos en Flickr.
- Había 2.900 millones de cuentas de correo electrónico en todo el mundo.
- 1.970 millones de personas eran usuarias de Internet a nivel mundial.
- Había 255 millones de páginas web activas en la Red.
- Se colgaron 152 millones de *blogs*.
- Se vieron 2.000 millones de vídeos al día por YouTube.

En la última década muchas industrias han sufrido notables transformaciones, incluidas la editorial, la de los medios de comunicación y la de la venta al por menor. Sentí curiosidad por leer un artículo sobre el grupo musical Tears for Fears, que fue muy conocido en la década de 1980. Ahora, treinta años después, un miembro del grupo, Curt Smith, vive en Los Ángeles, y el otro, Roland Orzabal, vive en Inglaterra. En vez de viajar y reunirse en un estudio, prefieren componer música a través de las sugerencias que se hacen por Twitter, de sus búsquedas en MySpace, y de enviarse las pistas de música por correo electrónico. Curt Smith dice que es mucho más gratificante que trabajar en un estudio. Tras leer el artículo, entré en la página web de Curt y descubrí que ¡podía hacer clic en «Me gusta» en su Facebook, ver imágenes en su página de Flickr, revisar las últimas novedades en MySpace, seguirle en iTunesPing y Twitter, compartir sus pistas a través de SoundCloud y suscribirme a su canal de YouTube! Los músicos pueden comercializar su música y anunciarse ellos mismos. Gracias a Internet, los grupos ya no se ven obligados a tocar en locales pequeños y prefieren almacenar sus canciones en sus páginas web o en las redes sociales, donde al momento están a disposición de la audiencia global de fans o de posibles fans. Los grupos pueden darse a conocer y ganar dinero sin haber grabado un disco.

Asimismo, la industria editorial también ha sufrido una revolución. Puedes autopublicar tu propio libro y así evitar vender tus derechos a una editorial. Puedes contratar editores, correctores y diseñadores de cubiertas autónomos. Puedes escribir y editar tu libro en tu portátil, grabarlo con una grabadora de mano y enviárselo a alguien para que lo transcriba por ti, o utilizar un programa que transcriba lo que dices. También hay formas innovadoras de comercializar tu libro, como escribir un artículo y colgarlo en una red social o en un blog a través de sitios como Blogger o Wordpress. Ahora puedes utilizar la vía de impresión sobre demanda, que significa que no hay costes de almacenamiento por los que preocuparse, ni gastos iniciales de impresión. En cuanto a la industria de la venta al por menor, ahora casi todos los servicios o productos se pueden adquirir *online* desde la comodidad de la propia casa del comprador. Esto es un regalo divino para cualquier emprendedor porque requiere muy poco capital para iniciar un negocio. Puedes vender cualquier cosa por la Red, desde libros de segunda mano a tus propias ideas en forma de libros electrónicos o cursos virtuales. Y un negocio virtual se puede montar paralelamente a tu jornada laboral hasta levantarlo y que empiece a funcionar por sí solo.

### Ventajas del trabajo virtual

El trabajo virtual tiene muchas ventajas para los empleados y los trabajadores por cuenta propia: más libertad y flexibilidad respecto al lugar y la hora de trabajo; más oportunidades para trabajar en casa, con lo que se reducen los gastos de transporte al disminuir los desplazamientos; puedes trabajar en cualquier lugar del mundo donde haya conexión a Internet, y puedes elegir trabajar por tu cuenta e incluso ganar dinero mientras duermes. También tiene ventajas para los empresarios, como ahorrar dinero en alquileres de oficinas y en materiales como papel y electricidad.

## La utopía postergada...

El principio del Sustento Correcto implica ganarse la vida siendo fieles a nuestros valores más firmes. Nuestra forma de trabajar puede ser una expresión de nuestra identidad más profunda o puede ser una fuente de sufrimiento. Si desempeñamos una actividad que es nociva, mejorarla mediante la tecnología no hará más que amplificar ese perjuicio a los demás. Y si tu trabajo es una fuente de perjuicio para otras personas, también lo será para ti. La tecnología es algo fantástico, pero nunca puede proporcionar felicidad en sí misma. Charles Einsenstein, en *The Ascent of Humanity*, escribe sobre el fracaso de las visiones utópicas de la Era Industrial y de la Era de la Información Virtual:

> La era del ocio y de la abundancia fácil, tecnotopía, siempre está a la vuelta de la esquina. Primero fue la Era del Carbón la que se suponía que nos iba a liberar de trabajar: en los albores de la Era Dorada del siglo XIX, las máquinas de vapor alimentadas por carbón iban a hacer todo el trabajo. En su lugar creamos los *sweatshop**, la mina de carbón,

* Los *sweatshops*, fábricas o talleres donde se explota a los trabajadores y no se cumplen las normativas de higiene y seguridad, es una palabra compuesta por *sweat* (sudor) y *shop* (taller), viene de *workshops* (talleres de trabajo) *(N. de la T.)*

la fundición, las hilanderías satánicas..., la semana laboral de ochenta horas, la explotación infantil, los accidentes laborales, los sueldos basura, las grandes mansiones junto a las horribles chabolas, infancias vividas en las minas de carbón, tremenda polución, comunidades desmembradas y vidas arruinadas. Pero ¡no hay problema! La Era Dorada está a la vuelta de esquina, ¡gracias a la electricidad! ¡A la química! ¡Al automóvil! ¡A la energía nuclear! ¡A los cohetes espaciales! ¡A los ordenadores! ¡A la ingeniería genética! ¡A la nanotecnología! Por desgracia, nada de esto ha cumplido nunca las expectativas.

A pesar de los ideales utópicos de la Era Industrial, sabemos que las personas, las comunidades y el medio ambiente pagamos un precio muy elevado por los adelantos materiales. En la década de 1960, reinaba la utopía de que la tecnología y la razón redimirían al mundo y nos conducirían a una época de abundancia y menos esfuerzo. Con la llegada de los descubrimientos científicos y médicos y los avances tecnológicos, parecía que estábamos destinados a un crecimiento ilimitado y a la prosperidad, ¡quizás hasta empezaríamos a colonizar las estrellas! Se creía que por fin la guerra, la pobreza, el analfabetismo y la delincuencia quedarían erradicados. Bien, todo eso sigue existiendo, ahora nos damos cuenta de que Internet no nos ha liberado de trabajar, como la máquina de vapor tampoco liberó a nuestros antepasados del trabajo físico.

## Las desventajas del trabajo virtual

La desventaja es trabajar de un modo más frenético, y que navegar por Internet nos ofrece infinitas distracciones. Con tanta información pululando por la Red, es evidente que hay mayor riesgo de padecer sobrecarga informativa, de quemarnos, de sufrir agotamiento emocional y sobrecarga mental. Otras desventajas son poder trabajar todos los días de la semana a cualquier hora; estar siempre ocupados, las poco claras fronteras entre el trabajo y el ocio, y una mente hiperactiva incapaz de desconectar.

Nuestro héroe Neo vuelve a entrar en la «construcción mental» de Matrix y se enfrenta a los agentes centinelas. Pero a pesar de su entrenamiento, éstos son demasiado fuertes, le vencen y le matan. Cuando cae al suelo, Trinity está al lado de su cuerpo sin vida en la silla que está fuera de Matrix. Le susurra al oído, le habla de una profecía: que ella se enamorará de «Aquel» que libere a la humanidad. ¡Besa a Neo y le dice que le ama! Neo de pronto inspira y vuelve a la vida, abre los ojos y se levanta dentro de Matrix. Los agentes se giran hacia él y disparan. Neo levanta tranquilamente las manos y detiene las balas. Ha despertado y ahora para él Matrix sólo es una sucesión de códigos informáticos. Se da cuenta de que él es «Aquel» y ya no tiene miedo.

## Más allá de la Era de la Información Virtual...

Aunque la era de la Información Virtual tiene muchos beneficios, no puede ofrecernos por sí sola la realización personal en la vida. Hay algo más en la fórmula de la felicidad que desarrollar o adquirir cada vez más tecnología. Todos necesitamos trabajar: es un aspecto fundamental de la vida humana. Lo que hace que el trabajo tenga sentido es nuestra actitud respecto al mismo, así como la propia naturaleza de éste. Puede que meditemos todas las mañanas y luego tengamos que ir a trabajar a un lugar donde reina un ambiente hostil y donde los frutos de su actividad son cuestionables para el beneficio de la humanidad y para el planeta. Entonces, por más que meditemos, siempre sentiremos cierto descontento por la desarmonía existente entre quienes somos y lo que hacemos en el mundo. De lo que se trata es de armonizar lo interno y lo externo.

La doctora Clare Graves, que inspiró el modelo interdisciplinario denominado Dinámica Espiral, dijo: «En el momento actual la sociedad está intentando realizar la transición más difícil, pero también la más fascinante a la que la raza humana se ha enfrentado hasta ahora. No es sólo una transición a un nuevo nivel de existencia, sino el inicio de un nuevo movimiento en la sinfonía de la historia de la humanidad».

Sabemos que la Era de la Información Virtual no ha cumplido su utópica promesa, pero todavía hay razones para la esperanza. No por alguna nueva tecnología que salve al planeta, sino por el cambio en nuestra conciencia colectiva respecto al trabajo. En las empresas se están introduciendo ideas más progresistas a través del coaching y de seminarios de formación. Tengo algunos amigos que trabajaban por su cuenta como formadores en el campo empresarial y me han dicho que cada vez hay empresas más grandes que están interesadas en incorporar ideas espirituales. Tengo una amiga que era una alta ejecutiva de una entidad financiera. Durante muchos años ocultó la razón de su éxito. Le avergonzaba hablar de ello. El secreto era que solía utilizar los sueños premonitorios que tenía respecto a su trabajo. Al final, empezó a contar sus sueños a sus compañeros de trabajo. Al principio les pareció bastante extraño, pero obtenía buenos resultados, y como los banqueros son personas prácticas, empezaron a interesarse por sus sueños. Al final dejó la banca y empezó a impartir cursos sobre intuición, pero eso es otra historia.

Aunque durante la Revolución Industrial abandonamos nuestros valores espirituales respecto al trabajo, se han escrito muchos libros sobre incorporar los valores espirituales a la vida laboral. Quizás el más conocido sea el superventas de Stephen Covey, *Los siete hábitos de la gente altamente efectiva*. En esta obra imprescindible, de la que se han vendido más de 15 millones de ejemplares en todo el mundo, Stephen Covey presenta una visión holística, integrada y basada en los principios para resolver los problemas personales y profesionales. Ahora, estos principios son famosos en la mayoría de los círculos directivos empresariales. Stephen Covey —mormón practicante— dice que nuestros problemas en el trabajo son de una nueva magnitud y que estamos entrando en una nueva era laboral, que él denomina «La Era de la Sabiduría». Daniel H. Pink, autor de *Una nueva mente*, dice que nos encaminamos hacia una Era Conceptual, que se regirá por el arte, la empatía y la emoción. Pink cree que dominará el pensamiento del hemisferio cerebral derecho y que será por el que se regirá la nueva economía.

Creo que está llegando una nueva era de trabajo; una en que la conciencia humana será tan importante como los adelantos tecnológicos. Creo que ahora mismo ya se necesita una nueva conciencia, una que sea lo bastante competente y resistente como para saber aprovechar las oportunidades y retos que nos plantea la Era de la Información Virtual y que nos ayude a ir más allá de la misma para descubrir un nuevo panorama laboral virgen. Esta nueva era laboral implica la transformación radical del sufrimiento y el despertar a la dicha. Esta nueva era laboral necesita pioneros, ¡y eso te incluye a ti! Como pionero, cuando empieces a cambiar y a alejarte de la inercia de la mayoría, te encontrarás con la resistencia y la burla. Pero no tienes por qué preocuparte, pues según el escritor de ciencia ficción Arthur C. Clarke, todas las nuevas ideas revolucionarias han de pasar por tres etapas de reacción y aceptación:

1. «Es una locura; no me hagas perder el tiempo.»
2. «Es posible, pero no vale la pena hacerlo.»
3. «Siempre he dicho que era una buena idea.»

## ¿TIENES UNA VISIÓN PIONERA?

¿Anhelas trabajar...

- y relacionarte de un modo más global y compasivo?
- más desde el corazón y desde el espíritu?
- con una mayor armonía entre hacer, ser y llegar a ser?
- valorando más una visión del cerebro-total?
- siendo más consciente de tus talentos, dones y habilidades?
- con más libertad para desarrollar tus potenciales?
- con más creatividad, imaginación, visión y uso de la intención positiva?
- de un modo más divertido y lúdico, y que el trabajo sea menos duro y serio?
- con un equilibrio entre la información, el conocimiento con paciencia y la sabiduría?
- con un equilibrio entre la complejidad y la simplicidad?
- de un modo más fluido y con menos esfuerzo?
- y vivir de un modo más sostenible para el planeta?
- en una empresa o compañía que intente realizar un cambio positivo en el mundo?

## Declaración de intenciones

1. Estoy dispuesto a presenciar y a transformar todo el sufrimiento que surge en mi trabajo. Estoy dispuesto a liberarme de la limitación de todos mis condicionamientos, creencias, suposiciones, pactos inconscientes, obligaciones, dramas, de la actitud de perseguidor, salvador o víctima que me bloquean.
2. Estoy dispuesto a ser más auténtico, estar más presente, ser más consciente en mi vida y en mi trabajo. Estoy dispuesto a dejar de confiar excesivamente en vivir con el piloto automático. Estoy dispuesto a ser totalmente yo mismo.
3. Estoy dispuesto a transformar mi actitud y mi perspectiva en mi trabajo. Estoy dispuesto a afrontar todos mis temores sobre el presente y el futuro. Estoy dispuesto a ver un futuro brillante, expansivo, incitante y esperanzador abriéndose ante mí.
4. Estoy dispuesto a reconocer que mi tiempo en la Tierra es limitado. Estoy dispuesto a reconocer que mi tiempo es muy valioso. Estoy dispuesto a utilizar mejor mi tiempo.
5. Estoy dispuesto a aceptar la totalidad de mis dones, recursos, aptitudes y talentos. Estoy dispuesto a utilizar mi intelecto con mi imaginación y mi intuición. Estoy dispuesto a desarrollar mis aptitudes. Estoy dispuesto a encontrar mi lugar en el mundo. Estoy dispuesto a escuchar la información que recibo y a utilizarla correctamente.
6. Estoy dispuesto a divertirme, a estar de buen humor, a reírme y al juego creativo en mi trabajo. Estoy dispuesto a no tomarme tan en serio.
7. Estoy dispuesto a divertirme, a jugar y a que entren en mi vida personas positivas. Estoy dispuesto a abrirme y a conectar de verdad con otros exploradores y pioneros de los campos que he elegido.
8. Estoy dispuesto a que mi trabajo sea una historia de amor. Estoy dispuesto a descubrir mis verdaderos principios. Estoy dispuesto a que el entusiasmo y la alegría entren en mi trabajo. Estoy dispuesto a disfrutar con lo que hago. Estoy dispuesto a que se me revele cuál

va a ser el trabajo de mi vida. Estoy dispuesto a soñar con mi trabajo hasta que se haga realidad.

9. Estoy dispuesto a fluir como el agua en vez de luchar. Estoy dispuesto a actuar sin esfuerzo de acuerdo con mis verdaderos principios. Estoy dispuesto a estar en el lugar correcto en el momento correcto. Estoy dispuesto a que mi trabajo se desarrolle con facilidad y gracia. Estoy dispuesto a trabajar con más dicha si cabe.
10. Estoy dispuesto a emprender este viaje y encontrar mi propio camino. Estoy dispuesto a confiar en mi guía interior y a terminar este viaje, dondequiera que me lleve.

# 4

# Sé tú mismo

«Sé siempre una versión de primera de ti mismo,
en lugar de ser una versión de segunda de otra persona.»

JUDY GARLAND

Érase una vez un pastor que encontró a una cría de león recién nacida. Se la llevó a casa, la alimentó con leche de cabra y la crió junto con su rebaño de cabras. Por lo tanto, aunque era un león, se comportaba como una cabra. Un día el león se fue al bosque con el rebaño. Entonces apareció un león y rugió con fuerza. Todas las cabras se espantaron y salieron corriendo. El cachorro de león también empezó a huir, pero el león le llamó: «Hermano, las cabras huyen cuando rujo, pero ¿por qué huyes tú? Tú eres un león, como yo». El cachorro no le creía. El león prosiguió: «Hermano, tu rostro es como el mío, tu cuerpo es como el mío, y tus patas tienen garras, no pezuñas como las de las cabras. Tienes cola de león y melena alrededor de tu cuello; las cabras no. Ven ahora, y abandona la estúpida idea de que eres una cabra y ruge como un león; entonces, todos sabrán que eres un león y no una cabra».

## Navegar con el piloto automático...

Los aviones tienen un sistema denominado piloto automático que les permite volar durante un tiempo sin que los conduzca ningún piloto. Básicamente, el sistema toma el mando y dirige el avión. Nosotros también podemos funcionar con el piloto automático. El piloto automático se conecta cada vez que hacemos algo habitual que no requiere que pensemos. Podemos conducir un vehículo y estar pensando en la lista de la compra. Podemos estar trabajando en una cadena de montaje y estar pensando en el partido de fútbol que van a retransmitir por la noche en la tele.

El piloto automático tiene sus ventajas, que es la razón por la que disponemos de él. Cuando hemos aprendido a hacer algo, podemos hacerlo automáticamente y poner nuestra atención en otra cosa. Manejamos nuestro cuerpo con el piloto automático. No hemos de pensar en respirar o en qué músculos hemos de activar para ir caminando al trabajo. Decidimos hacia dónde nos dirigimos y allí vamos. Sin embargo, al vivir la mayor parte del tiempo con el piloto automático, seguimos repitiendo conductas. No estamos verdaderamente presentes en nuestra vida, no nos fijamos en el brillo del amanecer, ni sentimos la tierra que tenemos bajo nuestros pies, ni el olor de las rosas cuando vamos a trabajar. También podemos poner el piloto automático para nuestros pensamientos y emociones.

El piloto automático es un gran invento de la naturaleza, pero lo utilizamos en nuestra contra en lo que respecta a vivir y a trabajar en el mundo moderno. Podemos pasarnos la mayor parte del día con el piloto automático sin darnos cuenta. Nos levantamos, nos cepillamos los dientes, desayunamos, llevamos a los niños al colegio, miramos el buzón, vamos a trabajar, etc. Durante todo ese tiempo estás pensando en mil cosas más. Quizás en un proyecto que tienes que terminar en tu trabajo o en una factura que has de pagar. Esto es vivir con el piloto automático. Nos aleja del presente. No es una forma de vida creativa ni original.

En la Revolución Industrial el piloto automático dejó de ser tan útil y se convirtió en una forma de huir de la realidad, pues las personas huían del mundo real que les envolvía. Trabajar muchas horas en una fábrica fomentaba conectar el piloto automático. Aunque ahora el trabajo no sea tan brutal, hemos aprendido a usarlo para hacer varias cosas a la vez y escapar de la realidad cuando necesitamos hacerlo. No es bueno vivir así durante mucho tiempo, puesto que nos deja con una desagradable sensación de vacío e insatisfacción.

## Lo que nos ata al piloto automático...

La mayor parte del trabajo que realizamos hoy en día nos desconecta e impide que conozcamos a nuestro auténtico yo. Cuando nos olvidamos de nuestro verdadero yo, no podemos estar presentes de verdad en nuestra vida. Afortunadamente, en cualquier momento podemos decidir vivir más en el presente, de un modo más consciente y auténtico. Nuestro verdadero yo recibe muchos nombres, podemos llamarlo nuestra esencia, alma o yo profundo o verdadero. Hay muchas tradiciones espirituales que nos enseñan este aspecto eterno de nuestra naturaleza. Es la parte de nosotros que está aquí para expandirse y crecer a través del ser y del llegar a ser, de la pasividad y de la acción. Solemos vivir con el piloto automático porque nos vemos obligados a vivir un tipo de vida que realmente no hemos elegido. A veces parece que simplemente estemos cubriendo el expediente.

Hay un método de entrenamiento para elefantes que es muy famoso. Cuando el elefante es joven, se le ata una cuerda o una cadena en una pata, así cada vez que tira hacia alguna parte siente la limitación de la cuerda o de la cadena. Pronto aprende hasta dónde puede llegar. Cuando el elefante se hace adulto, ha aprendido que no vale la pena seguir tirando cuando nota una cuerda o cadena en su pata. No sabe que si decidiera marcharse la cuerda que le ata al palo se rompería fácilmente con un tirón más fuerte. La única limitación del elefante está dentro de su mente.

Hoy en día estamos atados con muchas cuerdas imaginarias construidas por formas fijas de conducta y de responder a las situaciones de nuestra vida. En el ámbito corporativo hay todo tipo de fechas límite y normas que se han de cumplir. Así es como la cuerda imaginaria se tensa un poco más. El primer paso para cortar esta cuerda imaginaria es ser más conscientes y estar más presentes en nuestra vida. Sólo entonces empezaremos a recordar que hay vida más allá del piloto automático.

## ESTATE PRESENTE, SÉ CONSCIENTE

- Estate presente en lo que haces, siente el mundo a tu alrededor a través de los sentidos.
- Cuando te despiertes, dedica cinco minutos a estar presente contigo mismo observando el ritmo natural de tu respiración.
- Sé más consciente cuando desayunes. Tómate tu tiempo para saborear y apreciar cada bocado. Observa cómo te tomas tu té.
- Sé consciente de cómo se mueve tu cuerpo a lo largo del día.
- En el trabajo, observa cómo te sientes al sentarte. Observa tu actividad física en tu trabajo, como por ejemplo, el tacto del teclado de tu ordenador con la yema de tus dedos.
- Haz un descanso entre actividades.
- Cambia tu rutina y tu forma habitual de hacer las cosas. Por ejemplo, cambia tu manera de responder al teléfono, prueba a no responder enseguida o a no responder.
- Cuando estés en casa, limita las actividades que no te dejan estar presente. Reduce o elimina la televisión, los juegos de ordenador, navegar por Internet, las conversaciones superfluas o la compra compulsiva.
- Medita o dedica tiempo a reflexionar regularmente. Crea el hábito de la quietud.

## Cómo funcionamos con el piloto automático...

### Sentimiento habitual de obligación

Una de las manifestaciones del piloto automático es el deber y la obligación. Hay pautas que sentimos que hemos de cumplir, conectamos el piloto automático y allá vamos. Creemos que hemos de hacer ciertas cosas, que no podemos eludir. Hemos de ir a comprar, hemos de cocinar, hemos de ir a trabajar, hemos de decir te quiero, hemos de ayudar, hemos de encargarnos de tal y tal, hemos de llamar a nuestros amigos una vez a la semana. Cuando vivimos de este modo, no queda mucho espacio para cono-

#### QUEJARSE POR COSTUMBRE

1. **Quejarse se convierte en un hábito.** Cuanto más practicas algo más bueno te vuelves en ello. Quejarse por costumbre es encontrarle defectos a todo. Puedes encontrar defectos hasta a aquello que funciona y que parece que está bien. Cuanto más tiempo pases con personas que se quejan, más riesgo corres de ser una de ellas.
2. **Quejarse es culpar.** La queja puede transformarse rápidamente en una mentalidad de buscar culpables. Se basa en buscar lo que está mal, en vez de buscar lo que está bien, en fijarse en los problemas en vez de hacerlo en las soluciones. Las culturas de la culpa generan conductas defensivas y agresivas. A nadie le gusta que le culpen. En este caso, hasta la información neutra se puede interpretar como culpa o crítica.
3. **Quejarse no es la solución.** Quejarse por costumbre puede empeorar las cosas. Las quejas hacen que las personas se concentren en hablar sólo de lo que no les gusta, de lo que no han conseguido, de la razón por la que las cosas son injustas, etc. Hacer esto es una

cer nuestra verdadera identidad. Nos hemos convertido en una lista de cosas pendientes.

## La habitual necesidad de quejarse

Si nuestra vida o trabajo no nos gusta demasiado, con el piloto automático podemos culpar y quejarnos. Es evidente, que hay momentos en que hemos de alzar la voz y defender nuestros derechos para detener o rectificar una injusticia. No es el tipo de queja al que me estoy refiriendo aquí. Siempre que vamos con el piloto automático puesto podemos llegar a olvidar —en cierto modo— que somos creativos, que tenemos talento y que so-

receta para sentirse mal. Todo se ve bajo un prisma negativo. Esto acostumbra a nuestra mente inconsciente a ver el mundo con un filtro negativo. De quejarse por costumbre no puede salir ninguna solución.

4. **Quejarse crea desaliento.** Quejarse por costumbre no sólo hace que te sientas mal, sino que elimina la esperanza de que las cosas pueden mejorar. La idea de que nada de lo que hagas va a servir para nada hace que sea menos probable que intentes mejorar tu situación. El desaliento se extiende. Puedes llevarlo a casa y transmitirlo a la familia y a los amigos.
5. **Los que se quejan buscan personas que hagan lo mismo.** Cuanto más te quejas, más tendencia tienes a estar a la cabeza de las personas que se quejan, siendo el más negativo y desconfiado. Los optimistas están fuera del núcleo y se les acusa de ser inocentes, estúpidos y poco realistas. Las personas que se quejan pueden forjarse una fuerte identidad basada en la queja y crear fuertes vínculos con otras personas como ellas.

mos seres con un propósito. Si nos olvidamos de nuestra verdadera naturaleza, no seremos capaces de sentirnos valientes, intuitivos, triunfadores o espirituales en nuestro trabajo. Hay una historia sobre un viajero que habló con el filósofo griego Sócrates. Le preguntó:

—¿Cómo es la gente de Atenas?

—Dime de dónde eres y cómo son las personas de donde procedes, y yo te contaré cómo son en Atenas —respondió Sócrates.

—Soy de Argos, y la gente allí es desagradable, mezquina y maliciosa.

Sócrates reflexionó un momento y le dijo:

—Probablemente, encontrarás que las personas en Atenas son exactamente igual.

Las quejas y las culpas se producen cuando no estamos en paz y nos sentimos incapaces de forjar nuestra vida o destino. Una forma más nociva de quejarse es la del síndrome de la amapola alta, que hace que pongamos el piloto automático en modo ataque y ofendamos, insultemos, menospreciemos o critiquemos a personas con méritos verdaderos, cuyos talentos y logros les han hecho destacar del resto.

## La necesidad habitual de juzgar y criticar

Nos han enseñado a ser críticos con nosotros mismos y con los demás. Hemos aprendido a centrarnos más en el problema que en la solución. Ésta es una de las razones por las que tenemos tantos conflictos en el trabajo. ¡Intenta decirle a un compañero tres cosas que estén mal en su trabajo y verás! A nadie le gusta ser juzgado. Es mucho mejor hacer comentarios sinceros y compasivos y aprender a apreciar a los demás por las cosas en las que sobresalen. Cuando juzgamos un aspecto de los otros o de nosotros mismos, estamos dirigiendo nuestra energía hacia dicho aspecto y lo estamos revalorizando en el mundo. Si nos juzgamos por ser débiles y mantenemos ese pensamiento crítico durante el tiempo suficiente, pronto nos identificaremos con esa debilidad y empezaremos a hablar y a actuar como corresponde a esa actitud. ¡No es muy buena idea!

## AUTOCRÍTICA HABITUAL

¿Te juzgas de alguna de las siguientes maneras?

- Soy un perdedor.
- Tengo defectos.
- Estoy indefenso.
- Soy débil.
- No soy encantador.
- Soy incapaz de empezar nada.
- Soy incapaz de acabar nada.
- Mi vida es un caos.
- Mis ideas no valen nada.
- Nada funciona.
- Mi vida no va a ninguna parte.
- No soy capaz.
- No tengo lo que hace falta.
- Mi futuro es deprimente.

## CRÍTICAS HABITUALES SOBRE LOS DEMÁS

¿Sueles juzgar a otros por...?

- Trabajar demasiado o por ser vagos.
- Ser triunfadores o perdedores.
- Ser capaces o por no serlo lo suficiente.
- Ser inteligentes o por no serlo lo suficiente.
- Ser demasiado lógicos o demasiado soñadores.
- Ser demasiado amables o distantes.
- Ser demasiado habladores o callados.
- Ser educados o por no serlo lo suficiente.
- Ser demasiado bromistas o demasiado serios.
- Ser autoritarios y controladores o demasiado campechanos y liberales.

## La necesidad habitual de luchar

Podemos aprender a ser agresivos por costumbre. Podemos luchar casi por cualquier cosa, ya sea por nuestras ideas y derechos o por nuestras necesidades (equipamiento, tecnología, espacio en la oficina, el deseo de ganar más dinero o subir de categoría). En una lucha siempre hay un ganador y un perdedor, aunque sea habitual que todas las partes pierdan algo. Una de las participantes de uno de mis talleres vino a hablar conmigo durante una pausa y me contó el problema contra el que llevaba varios años luchando.

El problema estaba relacionado con un inquilino que tenía en su casa. Ella quería que se fuera para poder vender la casa y el inquilino quería quedarse. Ya había tenido varios pleitos, pero el tema todavía coleaba. Quería hacer otra cosa aparte de ser una arrendataria del norte de Londres. Le pregunté qué era lo que le estaba impidiendo hacer lo que quería y me citó una serie de razones de porqué tenía que zanjar antes ese asunto. Le planteé la reflexión de que estaba bloqueando sus energías con esa lucha y que por eso sólo podía ver una salida, cuando probablemente hubiera varias. Dejamos el tema en este punto. Al final del día tuvo una intuición y me dio las gracias. Decidió olvidarse del tema y seguir con su vida.

Me he dado cuenta de que no es posible luchar y ser feliz al mismo tiempo. Sencillamente, nuestro sistema nervioso no nos lo permite. La próxima vez que inicies una lucha, pruébalo y observa si puedes luchar y ser feliz a la vez. Descubrirás que es imposible. Así que, en vez de luchar, ¿por qué no vas a buscar la felicidad? Es una forma de desconectar el piloto automático. Esto te ayudará a sentirte más responsable de tus decisiones, de tus acciones y de tu vida. El escritor Gary Zukav dice:

> Estamos evolucionando desde una especie que persigue el poder externo a una que persigue el poder auténtico. El auténtico poder se encuentra en la fuente más profunda de nuestro ser. Una persona con verdadero poder personal es incapaz de hacer daño a nada ni a nadie. Una persona con auténtico poder personal es tan fuerte, tiene tanto poder, que la idea de usar la fuerza contra otro no forma parte de su conciencia.

## Sé sincero contigo mismo...

William Shakespeare escribió las líneas inmortales de la obra Hamlet: «Sé sincero contigo mismo, y de ello seguirá, como la noche al día, que no puedas ser falso con ningún hombre». Ser sincero con uno mismo significa vivir en un estado de coherencia.

Y éste es un estado en el que las cosas que piensas, dices y haces están en perfecta armonía. Es un estado de sinceridad total.

### ¡DEJA DE JUZGAR Y EMPIEZA A APRECIAR!

Apreciar es la cura perfecta para contrarrestar una naturaleza crítica y combativa.

1. Piensa en algo por lo que te estés juzgando: quizá por ser demasiado perezoso, apático, complaciente, disperso o improductivo. Escribe la crítica que tengas sobre ti mismo y la razón por la que consideras que es algo negativo.
2. Cada una de tus conductas pretende hacer algo positivo en tu vida. Quizá no consigues los resultados deseados, pero eso es otra cuestión. Busca una razón positiva para esa conducta. Y aunque no te guste esa conducta, empieza a apreciar la intención positiva que hay tras la misma. Quizá la pereza sea en realidad una necesidad de descansar, quizá la apatía sea tu forma de no poner demasiada energía en actividades que no te apasionan, quizá ser complaciente sea tu forma de valorar a otras personas. Escribe todas estas razones.
3. Piensa en otra forma mejor de conseguir tu intención sin tener que recurrir a la misma conducta. Luego ponlo en práctica. Recuerda que los pasos pequeños son más fáciles de dar y de fomentar, y son acumulativos.

A veces nos enfrentamos a problemas, dudas, miedos o incertidumbres que podemos evitar poniendo el piloto automático. El budismo considera que no existe un yo fijo como el concepto cristiano del alma. No tenemos una personalidad fija, siempre estamos creciendo y evolucionando. ¡No eres igual que cuando tenías seis años! Ser auténtico significa abandonar alguna de nuestras falsas suposiciones e ilusiones respecto a nosotros mismos. Podemos estar convencidos de que en algún área de nuestra vida no somos competentes y actuar de acuerdo con esa creencia. Luego descubrimos que sí somos capaces y abandonamos esa creencia.

Ser auténtico también significa ser coherente. Podemos estar verdaderamente tristes o falsamente alegres. Nuestro yo auténtico puede necesitar paz y tranquilidad de vez en cuando, pero nuestro yo adaptativo puede que nos esté diciendo que siempre hemos de ser el alma de la fiesta. Ésta es una de las formas en que podemos desincronizarnos. Por supuesto, también hay muchas otras. Cuando nos olvidamos de nosotros mismos, empezamos a evitar, negar, culpar y, en general, a ser incongruentes. Muchas veces, es más fácil detectar la incongruencia en otras personas. ¿Has observado alguna vez a un vendedor que estaba intentando venderte un producto del que no estaba verdaderamente convencido?

Ésta es la historia de un hombre rico que le dijo a su cortesana favorita que pasara la noche con él. Mientras él dormía, la hábil cortesana registró la casa para ver qué objetos valiosos y dinero podía encontrar, se los puso en un bolsillo de su traje de seda y se marchó. Cuando el hombre se despertó, la cortesana se había marchado y descubrió lo que había sucedido. Llamó a algunos de sus vecinos y partieron todos juntos a perseguirla. En su persecución se encontraron con el Buda que estaba meditando en el bosque. Enseguida le reconocieron y decidieron interrumpir la persecución y pedirle consejo. Le contaron toda la historia. El Buda respondió reflexivamente: «En vez de vagar por este peligroso bosque en busca de una mujer y de su dinero, ¿no sería mejor que buscarais a vuestro verdadero yo?

Afortunadamente, hay una sencilla fórmula para dejar de ser incoherentes. Aunque es una fórmula sencilla, puede ser un poco difícil. Procura estar más presente en aquellas cosas con las que te sientas incómodo, haz una pausa y, por último, deja de hacerlas definitivamente. Luego empieza a hacer más cosas que te aporten paz, alegría y gracia. Si te encuentras en una situación en que te das cuenta de que estás siendo incoherente, detente, respira y haz algo distinto. Quizás has de empezar a practicar decir la verdad, pero de forma que no resulte ofensiva; al fin y al cabo de lo que se trata es de ser coherente, no de herir a tus amigos o compañeros. Cuando creas en lo que dices y seas capaz de transmitirlo con compasión, sin culpar o avergonzar a los demás, las personas te escucharán.

Cuando queremos influir, es muy importante que seamos coherentes. Cuanta más fe y convicción tengas en tu mensaje, más persuasivo serás. Ser coherente implica conocer tus valores, lo que es importante para ti, y no hacer nada que vaya en contra de los mismos. Cuando actúes de acuerdo con tus valores, tu lenguaje corporal inconsciente y tu conducta lo reflejarán y las demás personas confiarán en ti. Las personas auténticas y coherentes suelen tener una actitud optimista, a pesar de todas las dificultades que se les presenten en su trabajo. Puede que estén entusiasmadas con lo que hacen y que actúen de forma que se convierten en un modelo de rol positivo para los demás. Tienen una energía contagiosa, y eso puede hacer que el trabajo sea más agradable y divertido para los que están con ellas.

## Cambia del piloto automático a vivir de forma plena...

Una de las formas de desconectar el piloto automático es mediante la práctica de la atención plena. Una de las prácticas de la atención plena que enseñó el Buda fue prestar atención a la respiración. Respirar conscientemente nos ayuda a dejar de hacer las cosas corriendo con el piloto automático y regresar a nuestro estado natural de ser. Esta práctica puede devolver a nuestra ocupada mente a un estado de serenidad natural. En el budismo se considera que la mente y el cuerpo están conectados, la ener gía fluye mejor si el cuerpo está erguido. La postura que adoptamos afecta a nuestra mente. Las personas que necesiten utilizar una silla para meditar deberían sentarse con la espalda recta y las plantas de los pies en contacto con el suelo.

> *«Cuando las historias de nuestra vida ya no nos esclavizan, descubrimos en ellas algo mucho más grande. Descubrimos que dentro de las limitaciones de forma [...], está la libertad y la armonía que hemos buscado durante tanto tiempo.»*
>
> JACK KORNFIELD

## LA MEDITACIÓN

### La respiración de la atención plena

Una práctica budista que nos ayuda a desconectar el piloto automático es la de estar presentes y atentos a nuestra respiración.

1. Elige un lugar tranquilo donde nadie te moleste. Luego encuentra una postura cómoda para sentarte con la espalda recta, ya sea en una silla o con las piernas cruzadas en el suelo. Asegúrate de que tu columna está lo más erguida y estirada posible. Cuando te sientes, lo primero que tendrás que hacer es habitar tu cuerpo. Has de cerrar los ojos o relajar la mirada y dirigirla hacia abajo. Se trata de reducir al máximo el bombardeo sensorial. Sé consciente de tu respiración y siente todo tu cuerpo, desde la cabeza hasta los dedos de tus pies y de tus manos. Tómate tu tiempo para salir de tu cabeza y entrar en tu cuerpo. Es muy importante que sientas plenamente la respiración. No debes forzarla, ha de ser natural.

2. Cuando seas consciente del ritmo natural de tu respiración, observa tu inspiración y cómo elevas la caja torácica. Observa la pausa natural que se produce justo antes de la espiración. Observa cómo sale es-

pontáneamente el aire. Cuando hayas sacado el aire, observa la pausa natural que se produce antes de que vuelva a comenzar el ciclo de la respiración. No pienses en tu respiración, ni trates de interferir en la misma, sólo observa tu ritmo natural.

3. A la vez que observas tu respiración, sé consciente de tus pensamientos. Cuando aparezcan pensamientos, no pases de ellos o intentes reprimirlos, simplemente anótalos. Practica la atención utilizando la respiración como ancla. No te preocupes si pierdes la concentración y tu mente se dispersa. Esto es natural al principio; simplemente obsérvalo y vuelve a concentrarte en la respiración, dondequiera que te encuentres en el ciclo respiratorio. Al principio, la lección de meditación más importante es darnos cuenta de la naturaleza rebelde y dispersa de la mente.

4. Con el tiempo y con la práctica, esta meditación te ayudará a relajar la mente, a estar más quieto y concentrado. Practica esta meditación durante unos quince minutos cada día.

---

## La autenticidad y los valores...

Una de las formas de ir con el piloto automático es no regirnos por nuestros principios. Ser conscientes de nuestros valores nos ayuda a despertar y a estar más presentes. Es más fácil estar presentes cuando trabajamos en algo o para conseguir algo que nos parece importante. Nuestros valores esenciales son esos temas primordiales ante los que no cedemos. Son los cimientos de nuestra vida, nuestra moralidad, nuestras otras metas y nuestras acciones.

Tanto si somos conscientes de ellos como si no lo somos, todos tenemos una serie de valores personales. En general, no profundizamos en ellos. Esto nos hace vulnerables a adoptar los valores de nuestros familiares o compañeros. Saber cuáles son nuestros valores es esencial para saber hacia dónde

## CONOCE TUS VALORES

1. Aquí hay una lista de valores. Revísala y observa cuáles son realmente importantes para ti. No se trata de pensar, sino de sentir. Elige los cinco más importantes para ti:

    - Abundancia, aventura, aprecio, autenticidad, logro.
    - Belleza, integración, valentía.
    - Reto, compromiso, compasión, competitividad, comunicación, cooperación, creatividad, valor, curiosidad.
    - Diversidad, devoción, dinamismo.
    - Eficiencia, empatía, igualdad, expresión.
    - Justicia, familia, flexibilidad, fluir, libertad, amistad, realización personal, diversión.
    - Generosidad, crecimiento.
    - Felicidad, armonía, voluntad de ayudar, sinceridad, humor.
    - Inspiración, integridad, inteligencia, innovación, intuición.
    - Alegría.
    - Ser fiel a tu palabra.
    - Risa, liderazgo, aprender, lógica, amor, lealtad.

nos dirigimos. Los valores son nuestra brújula hacia el verdadero norte. Cobrar consciencia de nuestros valores puede provocar un gran cambio de dirección: así son de importantes. Los valores pueden tener que ver con creer en el trabajo duro y en la puntualidad, por ejemplo, o bien estar relacionados con aspectos más psicológicos como la confianza en uno mismo, el deseo de ser feliz o tener un propósito que esté en armonía. Como es natural, los valores están presentes en todas las áreas de nuestra vida y determinan nuestras elecciones en nuestras relaciones, bienestar y trabajo. En el trabajo, algunas personas valoran su independencia y libertad para tomar decisiones y dan prioridad a su propio trabajo. A algunas les encanta la cooperación y les gusta trabajar en equipo. A otras les encanta un trabajo estructurado y dis-

- Madurez.
- Nobleza, no violencia.
- Receptividad, organización.
- Pasión, paz, gente, juego, precisión, propósito.
- Reconocimiento, reflexión, confianza, respeto, asumir riesgos.
- Silencio, seguridad, autodisciplina, expresión personal, realización personal, sensibilidad, servicio, simplicidad, espiritualidad, espontaneidad, estabilidad, estímulo.
- Variedad, visión.
- Sabiduría.

2. Una vez que hayas identificado tus cinco valores principales, escribe unas cuantas frases con cada uno, explicando qué es lo que hace a esa cualidad o valor tan importante para ti. Si crees que es realmente importante, explica por qué. Si te cuesta expresar por qué ese valor es importante para ti, puede ser un indicio de que lo has adoptado de otra persona. Ten presente que tus respuestas sólo han de ser válidas para ti.

frutar de la rutina diaria. Otras prefieren la variedad y la diversidad en su trabajo, las relaciones o su ubicación. A otras les gusta la innovación y crear ideas nuevas, proyectos nuevos o encontrar soluciones a los problemas cotidianos.

No me cansaré de enfatizar la importancia de conocer nuestros valores: son importantes porque guían nuestras preferencias, decisiones, conducta y respuestas en el mundo. Por ese motivo, en tu carrera, tus valores son los cimientos sobre los que descansan la mayor parte de tus decisiones. Desconocer tus valores es un tipo de ignorancia que provoca sufrimiento. Adoptar los valores de otros inevitablemente conduce al sufrimiento. Si valoras tu creatividad y libertad y has adoptado los valores de otra persona en pro del orden y de la seguridad, esto inhabilitará tus valores primordiales. Esto es justamente lo que me sucedió a mí durante los primeros veinte años de mi vida laboral. Créeme me generó grandes conflictos y sufrimiento, agravado por el hecho de que no tenía ni idea de que este conflicto estaba causando estragos en mi mente. En cuanto tuve claro cuáles eran mis principios, mi vida laboral cambió de dirección y fui más feliz y coherente con mi verdadera esencia.

## Autenticidad y compasión...

El Buda dijo: «Tú, igual que cualquier otra criatura del universo, mereces amor y afecto». La compasión es una de las grandes formas de desconectar el piloto automático. Puedes ser basurero y practicar el amor y la gratitud. Puedes ser director ejecutivo de una prestigiosa compañía y practicar el amor y la gratitud con las personas que están por «debajo» de ti. Puedes hablar con un recepcionista y establecer una hermosa conexión. Puedes ser un trabajador de una cadena de producción y practicar el amor y la gratitud. Puedes crear vínculos sinceros con tus compañeros de trabajo, aprender a reírte con frecuencia y alegrarles el día.

Con el tiempo, puede que te apetezca probar un poco más con ello y extender esta práctica a otras áreas de tu vida. Puede llenar tu vida de más paz y alegría, ¡así que ten cuidado! Algo que he observado en mi vida es que me cuesta mucho dejar un trabajo sobre el que tengo muchos pensamientos y sentimientos negativos. Este tipo de trabajo me persigue. Si a ti también te pasa, puede que hayas observado que, aunque hayas sido capaz de conseguir suficiente velocidad en tu huida, esos mismos pensamientos y sentimientos negativos pueden surgir en cualquier otra situación. La compasión es una gran forma de neutralizar los pensamientos y sentimientos negativos. Ser más compasivo contigo mismo te convertirá en una persona más atractiva, tanto si decides ser empleado como trabajar por tu cuenta o ser emprendedor.

Cuando el corazón está cerrado, no hay compasión. Aunque el corazón sea amable y compasivo por naturaleza, puede permanecer cerrado si la cabeza está muy activa y hay poco amor en tu lugar de trabajo. Clare tenía ciertas opiniones respecto a sí misma y a su trabajo. Esto la bloqueó hasta que aprendió a ser más compasiva consigo misma. Me dijo: «Muchas veces me pregunto si existe un "trabajo correcto" en el mundo para mí». Yo también me lo había planteado en su momento. Siempre había querido ser escritor. Estudié escritura creativa, participé en grupos de escritura creativa, escribí relatos, poemas y obras de teatro y los envié a revistas y agentes para ver si me los publicaban. Hice tablones de la visión y seminarios sobre la manifestación. Pero no experimenté grandes cambios. Llegó un momento en que todo el proyecto de intentar satisfacer esta ambición empezó a parecerme superficial. Sencillamente no fluía. En aquellos tiempos trabajaba de redactor publicitario en una compañía. ¡Incluso ahora al escribir esto todavía me estremezco! Aunque intentaba convertirme en un «verdadero» escritor, albergaba cierto resentimiento con mi trabajo remunerado. Lo hacía bastante bien, cumplía con las fechas y era consciente de la calidad de mis escritos. Pero esta escritura me parecía menos valiosa que escribir poesía o relatos. Era trivial. Para un cliente solía escribir diferentes tipos de soluciones de embalaje. Para otro escribía sobre hormigón. Bueno, resumiendo, por aquel entonces conocí a mi maestro espiritual. Al conectar con este camino espiritual, ciertos conceptos que conocía desde siempre y que incluso había defendido de boquilla cobraron sentido para mí. Abandonar los deseos de tu ego. Liberarte del apego. Ser útil en el mundo. De pronto, la idea de abandonar mi ambición de ser escritor tenía algún tipo de contexto. Se convirtió en una posibilidad real para mí, pero no se trataba de rendirme —«Soy un fracaso»—, ni de ser autodestructivo. Se trataba de abandonar mi idea de quien yo pensaba que era y de permitir que el espacio ocupara su lugar. Simplemente, un espacio vacío donde pudiera surgir una nueva intención, algo que fuera completamente distinto de lo que yo escribía. O quizá no surgiría nada. Y también estaría bien. Lo más curioso es que cuando conseguí esto también cambió mi actitud con mi trabajo para las empresas. Cuando caminaba por el gran despacho comunitario de la firma de ingenieros para la que trabajaba, me venía a la memoria la frase: «En el principio fue el Verbo». Esta frase no dejaba de repetirse en mi mente. Y empecé a preguntarme cómo quedaría escribir la descripción de un proyecto de ingeniería basándome en esta frase. Hasta ahora he descubierto un par de cosas. Está

## MEDITACIÓN

### Sobre la amorosa benevolencia

Esta meditación se llama Meditación Metta Bhavana. La palabra *metta* significa «amor» en el sentido de compasión, amistad o amabilidad. Esta meditación tiene cinco fases, cada una de las cuales durará unos minutos para un principiante. Con el tiempo puedes alargar la práctica.

1. Ponte cómodo, relájate y respira. Concéntrate en la paz, la calma y la tranquilidad. Siente la amorosa benevolencia hacia ti mismo. Amplía el sentimiento de amor en tu corazón. Concéntrate en la afirmación: «Que yo esté bien, que sea feliz, que esté libre de todo mal».

2. Piensa en un buen amigo o amiga o en alguien que ames. Visualízalo con la máxima definición que puedas conseguir y piensa en sus buenas cualidades. Concéntrate en silencio en la afirmación: «Que esté bien, que sea feliz, que esté libre de todo mal». Al cabo de unos minutos, vuelve a concentrarte brevemente en ti y repite un par de veces: «Que yo esté bien, que sea feliz, que esté libre de todo mal».

3. Ahora piensa en alguien que sea neutral para ti. Puede ser alguien que no conozcas muy bien. De nuevo, concéntrate en la afirmación: «Que

bien honrar las palabras, aunque sea en los contextos aparentemente más triviales. Está bien honrar a las personas que han encargado las palabras y a las personas que las leen. Y está bien ver el trabajo, por absurdo que nos pueda parecer, con una actitud de servicio. No siempre me parece un proceso fácil. Pero, por el momento, lo reconozco como la veta de mi práctica espiritual. Es un proceso de desapego. Ahora ya no estoy aferrado a la idea de que mis escritos tengan que presentarse en forma de libro, de recibir halagos y de que he de vender muchos ejemplares para tener mérito. Ahora me siento libre para experimentar de otras formas.

esté bien, que sea feliz, que esté libre de todo mal». Transcurridos unos minutos, vuelve a concentrarte brevemente en ti y repite un par de veces: «Que yo esté bien, que sea feliz, que esté libre de todo mal».

4. Piensa en alguien que te caiga mal. No te dejes llevar por tus sentimientos de desagrado hacia esa persona; por el contrario, concéntrate silenciosamente en la afirmación: «Que esté bien, que sea feliz, que esté libre de todo mal». Pasados unos minutos, vuelve a concentrarte brevemente en ti y repite un par de veces: «Que yo esté bien, que sea feliz, que esté libre de todo mal».

5. Por último, piensa en las cuatro personas juntas: tú, tu amigo, la persona neutral y tu enemigo. Abre tu corazón y transmite tus sentimientos de amor a estas personas y a otras, a tus allegados, a tus compañeros de trabajo, a tus vecinos, etc., hasta llegar a abarcar el mundo entero con tu amorosa benevolencia. Concéntrate en silencio en la afirmación: «Que estén bien, que sean felices, que estén libres de todo mal». Transcurridos unos minutos, vuelve a concentrarte brevemente en ti y repite un par de veces: «Que yo esté bien, que sea feliz, que esté libre de todo mal».

---

Esta práctica de meditación budista te ayuda a abrir el corazón y a cultivar el amor, la amabilidad y la compasión. Esta práctica, con el tiempo, puede hacer que tu corazón arda en un fuego emocional que te caliente a ti y a todos los que te rodean. Esta práctica de la compasión te afecta a ti, a tus seres queridos, a las personas que te son indiferentes y a las que no te gustan o con las que tienes conflictos. Es una gran forma de restaurar la armonía en tu interior y dentro de tu entorno laboral.

### LIBERA A TU AUTÉNTICO Y VALEROSO YO

- Acepta que a veces vas con el piloto automático puesto.
- Sé consciente de qué es lo que conecta y desconecta tu piloto automático.
- Observa cómo te sientes cuando desconectas el piloto automático.
- Practica todos los días la mente del principiante.
- Conoce los límites de tu zona de confort.
- Revisa tus valores y haz que tu trabajo sea una prioridad.
- Practica estar presente cuando tienes sentimientos desagradables.
- Deja de culpabilizar y de quejarte, empieza a valorar.
- Practica romper tus rutinas.
- Practica ser coherente con lo que piensas, dices y haces.
- Practica ser compasivo contigo mismo y con los demás.
- Confía en tu valor, ideas, impulsos, intuiciones y visiones.
- Confía en tu habilidad para encontrar tu camino en la vida.
- Haz pequeñas cosas todos los días que alimenten a tu yo verdadero.

*«Sólo hay dos errores que puedes cometer en el camino hacia la verdad: No llegar hasta el final y no empezar.»*

EL BUDA

## Autenticidad y valor...

Si te has pasado la vida atado a una cuerda imaginaria, la perspectiva de ser liberado en la «selva» puede que te asuste un poco. Al fin y al cabo, nadie sabe lo que sucederá cuando dejemos de culpar y quejarnos. El trabajo es tan cambiante e impredecible que es mucho más seguro no poner el piloto automático. Cuando nos enfrentamos a los «rápidos» de la vida, es mejor ser conscientes.

El piloto automático es una respuesta al miedo. Cuando tenemos miedo ponemos el piloto automático. Podemos tener miedo de algo que ya ha sucedido, como un cambio de profesión o la jubilación. Podemos temer algo que todavía no ha sucedido, como el miedo al rechazo o al fracaso. En lo que a vivir de un modo más consciente y desconectar el piloto automático se refiere, hay algunas sencillas verdades respecto al miedo que es útil conocer.

El miedo nunca desaparecerá mientras continúes creciendo: es natural sentir miedo cuando nos adentramos en un territorio desconocido. Del mismo modo, también es natural que otras personas tengan miedo cuando se han de enfrentar a algo nuevo. Cuando somos capaces de sentir miedo y seguir siendo conscientes y estar presentes en la situación, estamos reforzando la creencia de que somos capaces y de que tenemos poder, sea cual sea la situación. Cuando tenemos miedo pero actuamos de forma positiva, normalmente, nos sentimos más vivos y más capaces. Cuando estamos presentes con nuestro miedo podemos transformarlo. El miedo se parece mucho al sentimiento de entusiasmo. Andrea Kay, especialista en orientación profesional y autora de *Work's a Bitch and Then You Make It Work*, dice: «Si de verdad, de verdad, deseas tener una profesión y trabajar en lo que te gusta, porque ello te da alegría y te proporciona un propósito, has de creer en esto: que lo que deseas es más grande que lo que temes».

## Declaración de intenciones

1. Estoy dispuesto a presenciar y a transformar todo el sufrimiento que surge en mi trabajo. Estoy dispuesto a liberarme de la limitación de todos mis condicionamientos, creencias, suposiciones, pactos inconscientes, obligaciones, dramas, de la actitud de perseguidor, salvador o víctima que me bloquean.
2. Estoy dispuesto a ser más auténtico, estar más presente, ser más consciente en mi vida y en mi trabajo. Estoy dispuesto a dejar de confiar excesivamente en vivir con el piloto automático. Estoy dispuesto a ser totalmente yo mismo.
3. Estoy dispuesto a transformar mi actitud y mi perspectiva en mi trabajo. Estoy dispuesto a afrontar todos mis temores sobre el presente y el futuro. Estoy dispuesto a ver un futuro brillante, expansivo, incitante y esperanzador abriéndose ante mí.
4. Estoy dispuesto a reconocer que mi tiempo en la Tierra es limitado. Estoy dispuesto a reconocer que mi tiempo es muy valioso. Estoy dispuesto a utilizar mejor mi tiempo.
5. Estoy dispuesto a aceptar la totalidad de mis dones, recursos, aptitudes y talentos. Estoy dispuesto a utilizar mi intelecto con mi imaginación y mi intuición. Estoy dispuesto a desarrollar mis aptitudes. Estoy dispuesto a encontrar mi lugar en el mundo. Estoy dispuesto a escuchar la información que recibo y a utilizarla correctamente.
6. Estoy dispuesto a divertirme, a estar de buen humor, a reírme y al juego creativo en mi trabajo. Estoy dispuesto a no tomarme tan en serio.
7. Estoy dispuesto a divertirme, a jugar y a que entren en mi vida personas positivas. Estoy dispuesto a abrirme y a conectar de verdad con otros exploradores y pioneros de los campos que he elegido.
8. Estoy dispuesto a que mi trabajo sea una historia de amor. Estoy dispuesto a descubrir mis verdaderos principios. Estoy dispuesto a que el entusiasmo y la alegría entren en mi trabajo. Estoy dispuesto a disfrutar con lo que hago. Estoy dispuesto a que se me revele cuál

va a ser el trabajo de mi vida. Estoy dispuesto a soñar con mi trabajo hasta que se haga realidad.

9. Estoy dispuesto a fluir como el agua en vez de luchar. Estoy dispuesto a actuar sin esfuerzo de acuerdo con mis verdaderos principios. Estoy dispuesto a estar en el lugar correcto en el momento correcto. Estoy dispuesto a que mi trabajo se desarrolle con facilidad y gracia. Estoy dispuesto a trabajar con más dicha si cabe.
10. Estoy dispuesto a emprender este viaje y encontrar mi propio camino. Estoy dispuesto a confiar en mi guía interior y a terminar este viaje, dondequiera que me lleve.

# 5

# Supera tus creencias

«Somos lo que pensamos.
Todo surge de nuestros pensamientos.
Con nuestros pensamientos creamos el mundo.»

EL BUDA

Unos discípulos acudieron al Buda y le dijeron: «Maestro, aquí viven muchos ermitaños errantes y eruditos que están en conflicto constante. Unos dicen que el mundo es infinito y eterno y otros que es finito y que no es eterno. Unos dicen que el alma muere con el cuerpo y otros que vive eternamente. Maestro, ¿qué dices tú respecto a ellos?» El Buda respondió: «Érase una vez un grupo de ciegos que se encontró con un elefante. Uno de ellos tocó la cabeza del animal, otro tocó sus orejas, otro tocó su colmillo, otro su trompa, otro su pierna, etc. El ciego que tocó la cabeza dijo que un elefante era como una olla. El que le tocó la oreja dijo que un elefante era como una criba. El que le tocó un colmillo dijo que era como un arado. Cada ciego dijo algo distinto».

## Nuestras creencias limitadoras sobre la realidad...

Hemos visto la necesidad de actualizar nuestra forma de pensar respecto al trabajo. Ahora podemos profundizar un poco más en la matriz personal que nos bloquea: esta matriz son los conceptos que tenemos respecto a nosotros mismos, nuestro lugar en el mundo, nuestras habilidades, opciones y posibilidades. Hemos dado por sentado muchas de las viejas memeces de la antigua matriz del trabajo que han llegado hasta nosotros a través de nuestra familia y cultura. Hemos de deshacernos de esas creencias porque habrá momentos en que nos bloquearán y, lo que es peor, incluso pueden llegar a matarnos, ¡y no es una broma! Recuerdo que hace algunos años, cuando empecé a trabajar en la City, tuvo lugar un terrible suceso, una joven se tiró por la ventana de su despacho y se mató. Nadie sabía por qué había saltado, pero me atrevo a pensar que por desgracia no le faltarían pensamientos negativos sobre su calidad de vida y la dirección de la misma. Probablemente, tendría pensamientos repetitivos tóxicos acerca de que su vida no valía la pena. Aunque no todo el mundo llega al extremo de suicidarse, hay muchas personas que en su trabajo sufren el ataque de sus propios pensamientos y sentimientos tóxicos respecto a toda una serie de cosas, desde sentir que no son lo bastante válidas o inteligentes hasta no sentirse queridas o valoradas. En algunos casos estos sentimientos son tan tóxicos que pueden llegar a ser letales.

Pero ¿por qué sucede esto? Un matemático llamado Alfred Korzybski acuñó la frase «El mapa no es el territorio». Esto significa que el mundo físico objetivo y nuestra percepción interna del mundo son diferentes. ¡Lo que creemos sobre la realidad no es la realidad en sí misma! Todos tenemos diferentes mapas o versiones de la realidad, lo que literalmente significa que todos podemos experimentar un mundo diferente. El escritor y maestro zen Thich Naht Hanh expresa esto desde la perspectiva budista: «Si has estado en París, tienes un concepto de París. Pero tu concepto es bastante distinto de lo que es París en sí mismo. Aunque hayas vivido en París diez años, tu idea de París sigue sin coincidir con la realidad». Puedes tener un mapa de la realidad que diga que, en general, las personas son amables y que te ayudan, o uno que diga que las personas son egocéntricas y que actúan sólo por interés propio. ¡O puedes tener un mapa que de algún modo combine ambos! Puedes tener un mapa que diga: «Soy una persona válida y vivo en un mundo de oportunidades», o uno que diga: «No soy una persona válida y nunca se presentarán las oportunidades en mi vida». El mapa filtra la información del mundo que llega a nosotros a través de los cinco sentidos.

Estos filtros aceptan, distorsionan, generalizan y borran información. Esto significa que no estás viendo el mundo real, sólo una versión del mismo. Una persona con un mapa interno de odio, verá un mundo de odio. Piensa en el mapa interno de un terrorista, ¿qué tipo de mundo imagina a su alrededor? Una persona con un mapa interno amable imaginará un mundo amable, tendrá amigos amables y verá qué se puede hacer en el mundo con más amor. Donde falte amor se sentirá atraída hacia la compasión. Incluso puede llegar un momento en que un buen mapa puede dejar de funcionar si es demasiado rígido. Imagina que prosperas en tu trabajo. Eso es estupendo: felicidades, tienes un mapa positivo respecto al trabajo. Ahora imagina que eres padre y que todavía no tienes experiencia en esto. Una estrategia no tan infrecuente es usar un mapa que ya haya sido probado y demostrado que ha funcionado.

Imagina que tu mapa de la realidad es como un plano del metro, y que es bastante exacto, pero le falta algún dato. Puedes utilizar el mapa continuamente y desenvolverte bastante bien, pero de vez en cuando te encontrarás con algún problema porque habrá una estación cerrada o una línea fuera de servicio debido a obras de mantenimiento. Pero, en general, el mapa te es bastante útil. Muy bien, ahora imagina que tomas este mismo mapa y que lo utilizas como una guía callejera. Prácticamente, no te servirá de nada. Veamos un ejemplo práctico de esto, imaginemos que Jill es una gran organizadora en su trabajo. Inesperadamente, se queda embarazada y pronto será madre. Al no tener ninguna experiencia en maternidad opta por hacer lo que mejor sabe: ser una buena organizadora y aplicar esa cualidad a la maternidad. Quizá le funcione durante un tiempo, las cosas están bien organizadas, el bebé tiene todo lo que necesita, estará bien alimentado, bañado a sus horas y tendrá ropa para cada ocasión. El bebé duerme, come o llora justo cuando se espera que lo haga y todo marcha bien; hasta que un día deja de ser así. El bebé quiere algo más que una buena agenda; desea amor y atención, que no forma parte del excelente mapa organizativo de su madre. El bebé empieza a llorar y toda la gran organización de su madre no sirve de nada.

Las personas que tienen mapas de la realidad distintos suelen tener problemas para comunicarse y cooperar. Tienen creencias, expectativas, conductas, valores y resultados diferentes. Una puede creer en trabajar duro y otra en la creatividad y en la importancia de dedicar un tiempo a reflexionar. Lo que hemos de tener en cuenta es que no hay mapas buenos o malos, sólo los que nos ayudan a llegar mejor y con más elegancia adonde queremos ir. Los mejores mapas son los que son flexibles y se pueden actualizar.

Afortunadamente, nuestros mapas se pueden ampliar, mejorar, hacer más fluidos y flexibles. Cuando nuestro pensamiento es flexible, podemos mejorar nuestros mapas con las nuevas experiencias. Estamos aprendiendo y creciendo, y no dejamos escapar la nueva información. Estamos dispuestos a observar a nuestro alrededor y descubrir qué es lo que les está funcionando a las otras personas. Sabemos que siempre podemos adoptar estrategias y formas de hacer las cosas de otras personas. No tenemos que reinventar la rueda cada vez.

## El pensador y el demostrador...

A pesar de la gran influencia que tienen en nuestra vida, nuestros mapas internos de la realidad no son reales, son creaciones de nuestra imaginación: son alucinaciones que se han hecho realidad. Aunque nuestras creencias no sean reales, su efecto en nuestro sistema nervioso sí lo es. Las creencias son conceptos que están en nuestro cerebro que se traducen físicamente en una serie de conexiones neuronales diferentes. Las creencias se crean cuando repites muchas veces un pensamiento o una idea. A tu mente no le importa si son ciertas o no lo son, no las juzga, simplemente las acepta como ciertas. Esa creencia será incorporada en el programa informático del ordenador de tu cerebro. Entonces, al cabo de un tiempo, te irá siendo cada vez más difícil separar la creencia de la realidad. Por ejemplo, cuando empiezas a creer que eres estúpido, empiezas a descubrir cosas que respaldan esa creencia. Con el tiempo pensarás, hablarás y actuarás de acuerdo con la misma. La creencia se habrá hecho realidad. Por supuesto, también puede suceder lo contrario, puedes empezar a creer que eres más competente de lo que imaginabas. Luego, a medida que pase el tiempo, irás teniendo pruebas que favorecerán esta nueva afirmación. Al final, pensarás, hablarás y actuarás de un modo más competente. La creencia se habrá hecho realidad.

## CÓMO FILTRAMOS NUESTRA REALIDAD

**Generalización.** Así es como sacamos conclusiones universales basadas en una o más experiencias. Observamos patrones que nos ayudan a ver tendencias y a predecir el futuro. Así es también como aprendemos. La cosa se vuelve un poco engañosa cuando tenemos una experiencia y creemos que es un patrón, y que podemos crear una generalización a raíz del mismo. Por ejemplo, un trabajo puede ser aburrido, pero generalizar que todos los trabajos son aburridos no es una buena idea. Asimismo, una creencia limitadora como la de «la vida es injusta» se puede extrapolar a todas las áreas de la vida.

**Supresión.** Puede ser muy útil; sin esta función, el exceso de información nos abrumaría. Esto se debe a que la mente consciente sólo puede manejar cierta cantidad de información a la vez. No obstante, se vuelve engañosa, cuando tienes activa una creencia como la de «No soy capaz», pues ningún cumplido o palabra de aprecio podrá traspasar este filtro.

**Distorsión.** Rara vez tiene alguna utilidad; toma acontecimientos de la realidad y los distorsiona basándose en nuestras propias perspectivas. Por ejemplo, podemos interpretar que una persona pretende insultarnos cuando en realidad no es así. O podemos escuchar una conversación y luego repetirla, pero al hacerlo alteramos la intención o contenido original del mensaje.

D. H. Lawrence dijo una vez: «La mente puede afirmar cualquier cosa y pretender que lo ha probado». Robert Anton Wilson, en su excelente libro *Prometeo ascendiendo*, ve la mente como si tuviera dos partes principales: un *pensador* y un *demostrador*. El pensador es extraordinariamente flexible, y puede pensar cualquier cosa. Puede pensar que la Tierra es plana o esférica. Puede pensar que todas las mujeres son manipuladoras o maternales. Puede pensar que hay escasez o que vivimos en un mundo de abundancia ilimitada. El pensador puede pensar lo que le plazca.

El demostrador es mucho más predecible: lo que piensa el pensador, el demostrador lo prueba, buscando pruebas que le respalden. Si un pensador piensa que todos los extranjeros son perezosos, el demostrador clasificará las experiencias para encontrar pruebas que respalden esa idea. Si un pensador piensa que todas las personas sin techo son víctimas, el demostrador encontrará pruebas para demostrarlo. Tanto si una persona se considera estúpida como brillante, el demostrador hallará las pruebas que demuestren si es «cierto».

Cuando creemos que algo es cierto, tenemos una tendencia natural a recopilar pruebas que apoyen esa afirmación y a no tener en cuenta cualquier prueba que demuestre lo contrario. Y ni siquiera seremos conscientes de que lo estamos haciendo. En 1910, Ralph Waldo Trine declaró:

> Está bien ser optimistas. Está bien ser pesimistas. El uno se diferencia del otro como la luz de la oscuridad. Sin embargo, ambos tienen razón. Cada uno dice la verdad desde su particular punto de vista, y este punto de vista es el factor determinante en la vida de cada persona. Determina si su vida estará llena de poder o de impotencia, de paz o de sufrimiento, de éxito o de fracaso.

Estas ideas están respaldadas por un interesante experimento realizado en la década de 1960, denominado el ejercicio de los «ojos azules y los ojos marrones», creado por la maestra y activista contra el racismo Jane Elliot. Realizó este ejercicio en el transcurso de dos días. El primer día dijo que los niños con ojos azules eran superiores y demostró esta idea con una explicación seudocientífica. Les dio más privilegios, como repetir a la hora de comer, utilizar un nuevo parque infantil y cinco minutos extras en el recreo. Alabó y animó a los niños con ojos azules por ser trabajadores e inteligentes. Al mismo tiempo, también menospreció a los niños con ojos marrones, diciéndoles que eran perezosos y estúpidos por naturaleza y que tenían menos probabilidades de triunfar. Incluso hizo que los niños de ojos marrones llevaran cintas alrededor del cuello. Los niños de ojos azules mostraron una conducta arrogante y desagradable con sus compañeros de clase «inferiores». Al mismo tiempo, mejoraron las notas de los niños de ojos azules, y tareas de matemáticas y de lectura en las que anteriormente no eran demasiado hábiles, ahora parecía que eran capaces de realizarlas correctamente. Los niños «inferiores» también se transformaron, se volvieron más pasivos y sumisos, y su rendimiento académico también se vio afectado. Los empollones de ojos marrones ahora se equivocaban hasta en las preguntas más sencillas.

Al día siguiente, Jane Elliot, invirtió el ejercicio, ensalzando a los niños con ojos marrones. Ahora era el turno de que los niños de ojos azules llevaran las cintas en sus cuellos, y de que sufrieran las bromas y las órdenes de los niños de ojos marrones. Al concluir el segundo día, los niños de ojos azules pudieron sacarse las cintas y les explicó el objetivo del ejercicio, al final, todos lloraron y se abrazaron. Ella no les había dicho a sus alumnos que cambiaran su forma de tratarse, sólo que eran diferentes. Jane Elliot había demostrado la rapidez con la que una mente joven puede absorber las ideas y el tremendo efecto que tienen en la conducta y en el rendimiento. El aspecto positivo es que había demostrado que las ideas limitadoras se podían desaprender con la misma rapidez con la que se aprendían y así frenar su impacto.

*«La especie que sobrevive no es ni la más fuerte, ni la más inteligente. Es la que tiene mayor capacidad de adaptación al cambio.»*

CHARLES DARWIN

## Cuatro pasos. Transforma tus ideas limitadoras

Las ideas limitadoras nos mantienen en trabajos sin futuro y donde somos explotados porque pensamos que tenemos poca o ninguna elección. Una creencia no es más que un conjunto de ideas congeladas que nos anclan en ciertas formas de pensar y estados emocionales. Estos estados psicológicos habituales constantemente nos recuerdan que hagamos y digamos siempre las mismas cosas. Una creencia no es más que una idea o pensamiento que consideramos verdadero. Las creencias son las ideas con las que te comprometes y que apoyas incondicionalmente. Son las suposiciones, visiones y opiniones que has ido acumulando y que apruebas. Aquello en lo que crees es lo que defiendes. Afortunadamente, puedes cambiar tu pasado cambiando tus creencias.

### Paso uno: conoce tus viejos condicionamientos...

Todos llegamos a este mundo con mucha luz. Pero la mayoría de nuestros padres estaban demasiado ocupados o distraídos con sus vidas como para ver nuestra grandeza. Como hemos visto, nuestra educación puede hacer que asimilemos patrones de sufrimiento. En lo que a creencias se refiere, la mayoría las adoptamos en nuestros años de formación. Y somos muy leales a las mismas. Cuando crecemos recibimos muchos mensajes sobre la posibilidad, capacidad y merecimiento. Esto es muy importante en lo que respecta al trabajo. Si crecimos con un mensaje limitador de que no tenemos muchas posibilidades, y nos lo creímos, este mensaje influirá negativamente en toda nuestra vida laboral. Si crecimos con el mensaje limitador de que no somos unos privilegiados en lo que a inteligencia se refiere, y nos lo creímos, esto influirá negativamente en nuestra capacidad para pensar, aprender, innovar y desenvolvernos con decisión en la vida. Si crecimos con la idea de que tenemos que conformarnos con lo que tenemos y no esperar grandes cosas, y nos lo creímos, esto reducirá nuestras expectativas sobre lo que podemos llegar a hacer. Quizá nuestros padres jamás expresaron ninguno de estos mensajes directamente, pero los recibimos de manera indirecta. Un mensaje positivo o negativo puede llegar a través de un momento de incómodo silencio, una mirada especial o una reacción instintiva a alguna cosa.

A Steve su padre le había dicho en varias ocasiones que en sus manos la electricidad era algo peligroso. No recuerda en qué momento su padre empezó a tener esa idea sobre él, no obstante, él también se lo empezó a creer y llegó a cometer unos cuantos desastres en sus intentos de hacer bricolaje. Esto duró algún tiempo hasta que se dio cuenta de que no era más que un condicionamiento paterno. Nuestros padres nos animan o desaniman de mil pequeñas formas distintas que, con el tiempo, pueden generar un fuerte

## CONDICIONAMIENTO FAMILIAR NEGATIVO

Sé consciente de los condicionamientos negativos de tu familia. ¿Recuerdas alguna vez en que...?

- Tu madre te transmitiera un mensaje negativo respecto a tus aptitudes.
- Tu madre te transmitiera un mensaje negativo respecto a tu mérito.
- Tu madre te transmitiera un mensaje negativo respecto al dinero o el trabajo.
- Tu padre te transmitiera un mensaje negativo respecto a tus aptitudes.
- Tu padre te transmitiera un mensaje negativo respecto a tu mérito.
- Tu padre te transmitiera un mensaje negativo respecto al dinero o el trabajo.
- Un abuelo o abuela te transmitiera un mensaje negativo respecto a tus aptitudes.
- Un abuelo o abuela te transmitiera un mensaje negativo respecto a tu mérito.
- Un abuelo o abuela te transmitiera un mensaje negativo respecto al dinero o el trabajo.

## CONDICIONAMIENTO FAMILIAR POSITIVO

Sé consciente de los condicionamientos positivos de tu familia. ¿Recuerdas alguna vez en que...?

- Tu madre te transmitiera un mensaje positivo respecto a tus aptitudes.
- Tu madre te transmitiera un mensaje positivo respecto a tu mérito.
- Tu madre te transmitiera un mensaje positivo respecto al dinero o el trabajo.
- Tu padre te transmitiera un mensaje positivo respecto a tus aptitudes.
- Tu padre te transmitiera un mensaje positivo respecto a tu mérito.
- Tu padre te transmitiera un mensaje positivo respecto al dinero o el trabajo.
- Un abuelo o abuela te transmitiera un mensaje positivo respecto a tus aptitudes.
- Un abuelo o abuela te transmitiera un mensaje positivo respecto a tu mérito.
- Un abuelo o abuela te transmitiera un mensaje positivo respecto al dinero o el trabajo.

condicionamiento. Steve se propuso invertir este condicionamiento, y aunque no llegó a estudiar para electricista, ya no tiene tanta tendencia a los accidentes cuando ha de hacer alguna pequeña reparación eléctrica.

## Paso dos: conoce tus creencias actuales...

Para cambiar tus creencias, primero has de ser consciente de las mismas. Algunas creencias son muy fuertes y nos «impiden» seguir adelante. Son como imanes que atraen a muchas otras creencias limitadoras. Las creencias negativas filtran nuestras experiencias e impiden que avancemos y que hagamos algo radicalmente distinto en nuestro trabajo. Recuerda que lo que crees se reflejará en la realidad. Si sientes algún tipo de «bloqueo», tendrás creencias de que estás «bloqueado» en el trabajo. Si estás experimentando

## CREENCIAS LIMITADORAS RESPECTO AL TRABAJO

Revisa esta lista de creencias limitadoras y toma nota de las que para ti sean ciertas. Puntúa cada creencia en una escala del 1 al 10, donde el 0 es «nada en absoluto» y el 10 es «sí, totalmente».

- No puedo ser yo mismo en mi trabajo.
- No puedo imaginarme mejorando en ningún aspecto de mi trabajo.
- No sé lo que quiero hacer realmente.
- Nadie va a contratarme.
- Mis ideas u opiniones no son bien recibidas.
- No hay lugar para mis sueños y aficiones en mi vida.
- No puedo creer que puedo hacer lo que desee.
- No tengo mucho respaldo para mis sueños.
- El trabajo es sacrificio y deber.
- No tengo habilidades, dones o talentos prácticos.
- No soy creativo o innovador.
- Mi trabajo no encaja con mi forma de ser.
- Tengo suerte de tener este absurdo trabajo.
- Soy incapaz de cambiar de rumbo o de trabajo.
- No tengo tiempo para pensar, imaginar o reciclarme.
- Lo que me gustaría hacer no corresponde a mi sexo.
- Lo que me gustaría hacer no corresponde a mi clase social.
- No estoy cualificado para hacer lo que me gustaría.
- No tengo suficiente dinero para hacer lo que me gustaría.

alguna limitación en tu trabajo, puedes estar seguro de que también creerás en esa limitación. Tus creencias son la cola que une la realidad.

Tiene que haber una coincidencia entre tus creencias y tu entorno. Si crees que en el ámbito laboral «el pez grande se come al pequeño», encon-

- Soy demasiado viejo para hacer lo que me gustaría.
- No soy lo bastante inteligente para hacer lo que me gustaría.
- Los demás me «impiden» hacer lo que me gustaría.
- Mi karma negativo me «impide» hacer lo que me gustaría.
- Nací con mala suerte.
- A mí no me funciona nada.
- Nadie me entiende o me aprecia.
- He «vendido mi alma» a la empresa.
- Las compañías son intrínsecamente perversas.
- Mi jefe/compañeros no me entienden o me aprecian.
- No estoy seguro en mi trabajo, para sobrevivir he de hacerme invisible.
- No estoy seguro en mi trabajo, para sobrevivir he de luchar por mi puesto.
- En el trabajo siempre hay que hacer malabarismos para satisfacer a todos.
- El trabajo siempre es tedioso y aburrido.
- El trabajo siempre es estresante y duro.
- El trabajo siempre es serio, nunca es divertido.
- No tengo flexibilidad para trabajar como, donde y cuando yo quiero.
- No existe verdadera comunicación o cooperación.
- Lo más importante de mi trabajo es el dinero o la jubilación.
- En mi trabajo no hay lugar para mi intuición o imaginación.
- No hay lugar para los valores espirituales en mi trabajo.

trarás la manera perfecta de confirmar esta creencia. Si crees que para estar a salvo en tu trabajo has de ser invisible, buscarás el entorno perfecto para que esto suceda.

Lydia se sentía invisible en su trabajo, pero esto no evitó que la intimidaran. De hecho, más bien parecía atraer esa intimidación. Como se sentía invisible, no encontraba mucho apoyo y no era capaz de denunciar lo que le sucedía. Hizo terapia y la animaron a que cambiara su visión de sí misma en el trabajo. Al cabo de un tiempo, encontró la fuerza para cambiar el concepto de que tenía que ser invisible y se propuso acabar con esa situación. Por otra parte, si crees que tu trabajo es un espacio creativo, encontrarás el trabajo perfecto que respalde tu fe. Si crees que el trabajo es un lugar de cooperación y apoyo mutuo, encontrarás a un empresario que coincida con esa creencia. No aceptarás una realidad que no coincida con tus creencias.

> *«No creas en algo simplemente porque lo has oído. No creas en nada simplemente porque mucha gente habla o rumorea sobre ello. No creas en nada simplemente porque esté escrito en los libros sagrados. No creas en nada simplemente por la autoridad de tus maestros o mayores. No creas en las tradiciones simplemente porque se hayan transmitido de generación en generación. Cree sólo tras la observación y el análisis, cuando sientas que todo está de acuerdo con la razón y que conduce al bien y al beneficio de todos, entonces acéptalo y vive de acuerdo con ello.»*
>
> EL BUDA

## Paso tres: reformula tus creencias...

Por limitador que sea tu condicionamiento familiar y actual forma de pensar, puedes cambiar tus viejas creencias. Lo bueno respecto al pasado es que ya ha terminado. Descubrirás que en cuanto cambies tu forma de pensar te será más fácil acceder a tus recursos internos y dirigirte hacia lo que deseas conseguir. Puedes reformular tus pensamientos respecto a todo. Por ejemplo, te acaban de despedir de tu trabajo, probablemente, te sientes mal por ello. Reformular esos pensamientos limitadores te permitiría adquirir una perspectiva más amplia y ver los aspectos positivos de la situación. Cuando Damien, un buen amigo mío, era más joven, solían despedirle de la mayoría de sus trabajos. Él no pretendía que le despidieran, pero no podía evitar ser incapaz de soportar los trabajos aburridos. Una vez, cuando trabajaba en un videoclub, se olvidó de cerrar con llave una noche. Esa noche robaron todos los vídeos del videoclub. A la mañana siguiente, sí, lo has adivinado, le despidieron. Unos años después se convirtió en coach y orador, y empezó a dar conferencias para empresarios. Ahora utiliza estas anécdotas como divertidos recordatorios sobre cómo hasta la cualidad más insospechada, como la de conseguir que siempre te despidan, puede ser útil en la situación correcta. Reformular es un gran medio para darle la vuelta a tu forma de pensar y pasar a un plano desde el cual puedas actuar de un modo más eficaz.

## EJERCICIO

### Reformula tus creencias

1. Elige tres creencias del ejercicio anterior que te parezca que te están limitando.
2. Recopila y escribe todas las pruebas posibles de que todas estas creencias son falsas. Estás buscando ejemplos contrarios reales, por pequeños que sean. Te darás cuenta de que cuantas más pruebas de ello busques, más encontrarás. Los ejemplos contrarios a tu pensamiento limitado están por todas partes, simplemente, los habías excluido de tu vida.
3. Escribe tres afirmaciones rotundas que contradigan tus tres creencias limitadoras. Escribe estas afirmaciones en tiempo presente en vez de hacerlo en futuro, por ejemplo: «Estoy receptivo al amor y al apoyo en mi vida». Escríbelas como afirmaciones positivas, por ejemplo: «Me olvido de mi pasado», en vez de: «No quiero que mi pasado interfiera en mi vida».
4. Recopila y escribe el mayor número de pruebas posibles para respaldar la autenticidad de cada afirmación. Buscarás ejemplos objetivos,

por pequeños que sean. Observarás que cuantas más pruebas busques, más encontrarás.
5. Por último, empieza a realizar pequeñas acciones de acuerdo con tus afirmaciones de fuerza. Recuerda que es más fácil comprometerse e instigar pasos pequeños, y que con el tiempo son acumulativos.

---

## Paso 4: practica la mente del principiante...

Empieza a ir más allá de lo que crees saber, y en su lugar, practica la mente del principiante. Esta práctica procede del budismo zen. La mente del principiante es un estado de curiosidad intensa. Aquí, apartamos la ideas preconcebidas y adoptamos la postura mental de «no lo sé». Esto es porque vivir con el «ya lo sé» es un gran obstáculo que impide que conozcamos realmente las posibilidades que encierra el momento presente. La postura del «ya lo sé» nos mantiene anclados en el pasado. No nos permite conocer nada nuevo: no hay sorpresas, no hay intuiciones, no hay descubrimientos. Las personas no se permiten adoptar muy a menudo la postura del «No lo sé». Cuando pensamos que sabemos algo, suele ser sobre el pasado y no tiene nada que ver con el momento presente. Lo que conocemos son nuestras impresiones, opiniones y conclusiones del pasado respecto a una situación que se está produciendo ahora. A veces pasa en los cursos de formación, un participante dice: «Sí, ya lo sé, ya lo he hecho antes». Sin embargo, en este momento, no es como fue con anterioridad.

Cuando adoptamos la mente del principiante respecto a las cosas que ya hemos hecho, con frecuencia descubrimos algo nuevo. Una nueva intuición, descubrimiento u opción. Vivir con el «ya lo sé» es un gran inconveniente que nos aleja del presente y hace que vivamos en el pasado. Vivir con el «ya lo sé» es aferrarse a una opinión o creencia. Y esto son formas fijas de ver la vida que hacen que siempre saquemos la misma conclusión. Si llevas muchos años haciendo un trabajo, puede que pienses que ya lo sabes todo sobre el mismo. Incluso puedes considerarte un experto en la materia. Esta palabra siempre me ha infundido mucho respeto. Hay expertos por todas partes dispuestos a aconsejarnos acerca de cualquier cosa, desde el tiempo

## PRACTICA LA MENTE DEL PRINCIPIANTE

- Deja de creerte las cosas a pies juntillas y adopta un escepticismo saludable.
- Por cada una de tus convicciones pregúntate: «¿Cómo sé que esto es cierto?»
- Practica la aventura y el asombro, incluso con las cosas que has hecho antes.
- Haz como si nunca hubieras tomado té u olido una rosa y hazlo como si fuera la primera vez.
- Adopta una actitud de curiosidad y de juego en el trabajo.
- Incorpora algo diferente en tu rutina cotidiana, aunque sea algo pequeño.
- Aprende algo nuevo cada día en tu trabajo.
- Escucha los puntos de vista de las otras personas, especialmente de aquellas con las que antes no estabas de acuerdo.
- Busca alguna joya positiva en tus conversaciones con tus compañeros.
- Dedica algún tiempo a hablar con personas que no conoces.
- Cuando te desplaces para ir a tu trabajo, lee algo que no suelas leer.
- Cuando no estés en el trabajo, procura aprender algo nuevo cada día.
- Adopta la mente del principiante con personas que hace tiempo que conoces.
- Descubre algo nuevo sobre tu pareja, algo que no supieras.
- Aprende a aceptar lo desconocido.

hasta la crianza de los hijos. Aunque me encanta escuchar la sabiduría, siempre he sentido una sana desconfianza de los expertos. Lo que hoy es sabiduría convencional, mañana puede parecernos una tontería. Recuerdo una gran metedura de pata de un meteorólogo de la BBC, a finales de la década de 1980. Una mujer llamó a la BBC para comunicar que se avecinaba un huracán. En una retransmisión del tiempo en directo, el meteorólogo hizo mención de la llamada y aseguró a los espectadores que todo estaba bajo control y que ninguna tormenta azotaría a Gran Bretaña. Al día siguiente la peor de las tormentas en trescientos años devastó el sudeste del Reino Unido.

Practicar la mente del principiante es dejar a un lado las ideas preconcebidas. Cuando abandonas la postura del «ya lo sé», dejas sitio para que surja algo nuevo. La mente del principiante reconoce que la mente intelectual tiene sus limitaciones. Cuando la mente intelectual se da su merecido descanso, pueden aparecer nuevas formas de pensar y de relacionarse, como por ejemplo: «Tienes un punto de vista interesante», «No había oído eso antes», «Esto es muy interesante», «Me gustaría saber más al respecto», «Estoy impaciente por probarlo».

La postura del «ya lo sé» puede conducirnos al engaño de adoptar la actitud del «experto». En el caso extremo nos hace pensar: «Si yo tengo razón, tú debes estar equivocado», «Ya lo he probado, pero no funciona», «Esto es una total pérdida de tiempo» y «Se van a quedar impresionados con lo que tengo que decir». Ya sé que ahora se estila eso de autodenominarse experto, especialmente si quieres atraer clientes para tus servicios de «experto», pero es muy peligroso adoptar esta actitud. La mente del principiante implica aventura y descubrimiento. Paradójicamente, es una actitud de inocencia y de gran sabiduría.

## Supera tus creencias...

Hasta principios de la década de 1950, el mundo del deporte no concebía que un ser humano pudiera correr una milla en menos de cuatro minutos; esa hazaña se consideraba imposible y fuera de las posibilidades de la resistencia humana. El 6 de mayo de 1954, el atleta inglés Roger Bannister fue la primera persona en superar la barrera de los cuatro minutos. Fue un momento histórico. Lo que ya no es tan conocido es que a los 46 días de aquella hazaña, Bannister volvería a batir su propio récord. En los diez años siguientes se batió 300 veces, con un promedio de una vez cada 12 días. Bannister se había negado a trabajar dentro de los confines de la creencia de la imposibilidad de correr la milla en menos de cuatro minutos. Por lo tanto, pudo superar la creencia generalizada del límite de velocidad al que puede correr un ser humano. Lo que una vez parecía imposible, ahora era algo común.

Hay una historia sobre un abad de un en otro tiempo famoso monasterio que ahora estaba en decadencia. Le preocupaba que los monjes ya no prestaban mucha atención a su práctica espiritual cotidiana. Los novicios se marchaban y los laicos que colaboraban en el monasterio también lo abandonaban. El abad decidió salir de viaje en busca del consejo de un famoso sabio. Cuando se encontró con el sabio, le contó lo que estaba sucediendo y éste respondió: «La razón por la que tu monasterio está en decadencia es porque el Buda está viviendo de incógnito entre vosotros y no le estáis honrando». El abad volvió enseguida al monasterio, con una gran agitación mental. ¿El Buda estaba en su monasterio? ¿Cómo era posible? Pensó en uno de los hermanos, pero luego recordó que era perezoso. Pensó en otro de ellos, pero luego recordó que no era muy inteligente. Luego recordó que El Iluminado estaba disfrazado. ¡Qué mejor disfraz que ser perezoso o no ser muy inteligente! Convocó a todos los monjes y les contó lo que le había dicho el sabio. Los monjes se sorprendieron y empezaron a mirarse entre ellos con sospecha y asombro. Al no saber quién era El Elegido, acordaron que todos se tratarían con el respeto que el Buda se merecía. Pronto los rostros de los monjes empezaron a cambiar y al poco tiempo el monasterio recobró su vida. Al correr la noticia, muchos novicios y laicos regresaron.

Este ejemplo del deporte nos muestra cómo nuestros pensamientos y creencias pueden limitar nuestro rendimiento y potencial natural. Puesto que el rendimiento es un aspecto intrínseco en todo trabajo, este principio se puede aplicar a todo. Cuando cambias tus creencias negativas, empiezas a subir el listón en tu conciencia respecto a lo que es posible. Sin el filtro del «no-posible» verás un mundo diferente. Quizás empieces a ser más imaginativo o inventivo. Quizás empieces a probar cosas diferentes que antes jamás te hubieras planteado. Cuando transformas tus creencias negativas, comienzas a subir el listón en tu conciencia respecto a lo que eres capaz de hacer. Quizá descubras que tienes talentos que puedes desarrollar o que puedes aprender nuevas habilidades. Quizá nunca te habías planteado que podías aprender un idioma extranjero o ciertas habilidades informáticas y ahora te das cuenta de que nada puede pararte. Cuando inviertes tus creencias negativas, empiezas a subir el listón en tu conciencia respecto a lo que te mereces. Quizá te mereces hacer un trabajo que te guste, quizá te mereces una profesión que te llene y que tenga sentido para ti, y te mereces estar bien pagado por lo que haces. ¿Qué te parece empezar por creer en ti, en tu carrera y en tu viaje por la vida?

## SUPERA TUS CREENCIAS

Para ir más allá de lo que conoces, aquí tienes unos buenos consejos del autor Stephen Covey:

**Cuerpo:** supón que has sufrido un infarto; ahora vive conforme a eso.

**Mente:** supón que te quedan dos años antes de que tu vida profesional deje de progresar; ahora prepárate en consecuencia.

**Corazón:** supón que cuando hablas de otra persona ésta puede oírlo, ahora habla en consecuencia.

**Espíritu:** supón que cada trimestre tienes una entrevista personal con tu Creador, ahora vive en consecuencia.

## Declaración de intenciones

1. Estoy dispuesto a presenciar y a transformar todo el sufrimiento que surge en mi trabajo. Estoy dispuesto a liberarme de la limitación de todos mis condicionamientos, creencias, suposiciones, pactos inconscientes, obligaciones, dramas, de la actitud de perseguidor, salvador o víctima que me bloquean.
2. Estoy dispuesto a ser más auténtico, estar más presente, ser más consciente en mi vida y en mi trabajo. Estoy dispuesto a dejar de confiar excesivamente en vivir con el piloto automático. Estoy dispuesto a ser totalmente yo mismo.
3. Estoy dispuesto a transformar mi actitud y mi perspectiva en mi trabajo. Estoy dispuesto a afrontar todos mis temores sobre el presente y el futuro. Estoy dispuesto a ver un futuro brillante, expansivo, incitante y esperanzador abriéndose ante mí.
4. Estoy dispuesto a reconocer que mi tiempo en la Tierra es limitado. Estoy dispuesto a reconocer que mi tiempo es muy valioso. Estoy dispuesto a utilizar mejor mi tiempo.
5. Estoy dispuesto a aceptar la totalidad de mis dones, recursos, aptitudes y talentos. Estoy dispuesto a utilizar mi intelecto con mi imaginación y mi intuición. Estoy dispuesto a desarrollar mis aptitudes. Estoy dispuesto a encontrar mi lugar en el mundo. Estoy dispuesto a escuchar la información que recibo y a utilizarla correctamente.
6. Estoy dispuesto a divertirme, a estar de buen humor, a reírme y al juego creativo en mi trabajo. Estoy dispuesto a no tomarme tan en serio.
7. Estoy dispuesto a divertirme, a jugar y a que entren en mi vida personas positivas. Estoy dispuesto a abrirme y a conectar de verdad con otros exploradores y pioneros de los campos que he elegido.
8. Estoy dispuesto a que mi trabajo sea una historia de amor. Estoy dispuesto a descubrir mis verdaderos principios. Estoy dispuesto a que el entusiasmo y la alegría entren en mi trabajo. Estoy dispuesto a disfrutar con lo que hago. Estoy dispuesto a que se me revele cuál

va a ser el trabajo de mi vida. Estoy dispuesto a soñar con mi trabajo hasta que se haga realidad.

9. Estoy dispuesto a fluir como el agua en vez de luchar. Estoy dispuesto a actuar sin esfuerzo de acuerdo con mis verdaderos principios. Estoy dispuesto a estar en el lugar correcto en el momento correcto. Estoy dispuesto a que mi trabajo se desarrolle con facilidad y gracia. Estoy dispuesto a trabajar con más dicha si cabe.
10. Estoy dispuesto a emprender este viaje y encontrar mi propio camino. Estoy dispuesto a confiar en mi guía interior y a terminar este viaje, dondequiera que me lleve.

# 6

# Recupera tu tiempo

«Despierta. La vida es transitoria. Pasa rápido.
Sé consciente de lo que importa. No malgastes tu tiempo.»

PROVERBIO BUDISTA

Érase una vez una liebre que creía que podía correr más rápido que ningún otro ser vivo. Un día, una tortuga la retó a hacer una carrera. La liebre se rió a carcajadas. «No hay nadie en el mundo que pueda ganarme, soy demasiado rápida.» Acordaron la carrera y planificaron un recorrido. Al día siguiente la liebre y la tortuga se reunieron en la línea de salida. Dieron la señal y empezó la carrera. La liebre se puso a observar el lento avance de la tortuga. La liebre totalmente confiada se puso a correr y dejó muy atrás a la tortuga. Cuando miró atrás y vio lo lejos que estaba su rival, decidió echarse una pequeña siesta. «No me alcanzará —se dijo—. Echaré una cabezada y seguiré con la carrera en breve.»

## Vivir y trabajar con tiempo artificial...

Antes de la Revolución Industrial británica nuestros antepasados se regían por el «tiempo natural». Entonces el tiempo se medía por la salida y la puesta del sol y el cambio de las estaciones.

La familia de mi ex mujer, Ana, es de la isla de Madeira. He estado allí muchas veces, y hace tiempo había sido una isla agrícola con muy pocos avances tecnológicos. Existe una increíble variedad de flores y frutas. Encuentras higos, naranjas, limones y uvas al alcance de la mano. Justo por encima del nivel del mar tienes plataneros y caña de azúcar. Un poco más arriba puedes encontrar cerezos, manzanos y ciruelos. Durante siglos se ha cultivado la tierra a mano y las uvas todavía se pisan según el sistema tradicional. Hay festivales para celebrar las cosechas y otras fechas significativas del año. Recuerdo que una vez me ofrecí voluntario para construir unos escalones de piedra en el jardín de unos familiares. Era un trabajo muy cansado porque el jardín era empinado y largo. Recuerdo la alegría que sentí al realizar esa tarea y el cambio que supuso respecto a mi trabajo de oficina. Ahí estaba yo, al aire libre bajo los rayos dorados del sol. Tenía la sensación de que el tiempo pasaba despacio y de forma agradable. Cuando volví a mi trabajo en Londres, desconecté de inmediato de los ciclos naturales de la naturaleza.

La mayoría trabajamos en despachos, cubículos, fábricas y otros espacios laborales diversos, alejados de la naturaleza, donde nuestras vidas se rigen por el tictac del reloj. Los relojes realmente empezaron a tener importancia con la Revolución Industrial, cuando el tiempo era dinero. El reloj era una metáfora perfecta de cómo creían los científicos que funcionaba el universo. La Madre Naturaleza simplemente era una inmensa máquina; con leyes naturales que hacían que las cosas funcionaran de una forma racional y ordenada. A pesar de las ideas científicas, el tiempo es un misterio. La ciencia tiene muchas preguntas por resolver respecto al tiempo. Sí, el tiempo está vinculado con fuerzas como la órbita de la Tierra alrededor del Sol. Sabemos que es por la mañana porque sale el sol y nos ilumina.

Sin embargo, el tiempo también es algo intangible; es una construcción mental. Podemos recordar un pasado personal e imaginar la construcción de un posible futuro. Lo extraño es que nuestro pasado también es una construcción. Nuestras creencias filtran nuestra forma de recordar el pasado. Ésa es la razón por la que las personas recuerdan los acontecimientos del pasado de manera diferente. Por ejemplo, imaginemos que hubo una reunión la semana pasada: una persona recordará que fue una gran reunión, que salieron muy contentos de la misma y que estuvo muy bien dirigida. Otra recordará lo mal que fue la reunión y que salió de la misma aburrida y desilusionada.

El tiempo parece volverse más lento o ir más rápido según nuestro estado psicológico. Cuando a Einstein le pidieron que explicara su teoría de la relatividad, dijo: «Pon la mano en una estufa caliente durante dos segundos y te parecerán dos horas. Siéntate junto a una chica bonita durante dos horas y te parecerán dos minutos. Eso es la relatividad». Es triste pero cierto que para millones de personas el tiempo en el trabajo pasa dolorosamente lento. Miran mucho el reloj y sienten mucha alegría cuando acaba la jornada laboral.

## Tu tiempo es oro...

Trabajamos, éste es un hecho ineludible para la mayoría. ¿Eres consciente de cuántas horas trabajas en tu vida? Bueno, ¡puede que te sorprenda saber que trabajamos entre 70.000 y 100.000 horas! Esto es mucho tiempo, demasiado para desperdiciarlo haciendo algo que no te aporta felicidad o sentido. Pero muchas personas van tirando valientemente hasta que sucede algo que les hace replantearse la forma en que utilizan su tiempo.

Si alguna vez has padecido una grave enfermedad te habrás dado cuenta de que el tiempo es demasiado valioso para malgastarlo. A Yvette le diagnosticaron cáncer de mama a los treinta y un años. Hasta entonces había tenido una frenética vida laboral como directora de un departamento de marketing para una prestigiosa editorial londinense. Se quedó destrozada. «¿Por qué a mí y por qué tan joven? —se preguntó—. Sencillamente, no tengo tiempo para estar enferma.» Recuerda que cuando su médico le dijo que la semana siguiente tenía que ingresar para la operación ella le respondió muy seria que no podía porque su ayudante estaría de vacaciones. Afortunadamente, el médico no escuchó sus protestas e ingresó en el hospital a los pocos días. Esa enfermedad resultó ser un momento decisivo en su vida. Antes de enfermar, el baile, que era su verdadera pasión, había desempeñado un papel secundario en su carrera en el mundo editorial. Después de su enfermedad se dio cuenta de que tenía que escuchar a su corazón y anteponer el baile.

*«El arco demasiado tenso se rompe.»*

PROVERBIO ZEN

## La enfermedad de estar ocupado...

Desde el día en que nacemos somos bombardeados con mensajes de que estar ocupado es bueno. Estar ocupados es una enfermedad heredada. Lo interesante de esto es que nunca he oído a nadie decir en su lecho de muerte que desearía haber pasado más horas en su trabajo. Nuestro tiempo se esfuma cuando estamos ocupados. Y lo curioso es que estar ocupados no suele ser muy productivo. Cuando las personas están muy ocupadas tienen estrés y es más fácil que se equivoquen. A veces, ir más despacio puede mejorar la productividad. Sin embargo, ¡cuántas veces nos dicen que vayamos más despacio y que nos tomemos nuestro tiempo para hacer un buen trabajo!

En la Era de la Información Virtual todavía todo se basa en la velocidad. Hemos de estar ocupados y hemos de hacerlo todo lo más rápido posible. Hasta en la Era Industrial existía el concepto de que el domingo era el día de descanso —y quizá de culto y oración— y las horas de las comidas eran una oportunidad para estar de verdad con la familia. Ahora, casi todo eso ha desaparecido, trabajamos veinticuatro horas siete días a la semana, y pasar un tiempo de calidad con la familia es una idea interesante, pero no siempre una realidad. A medida que aumenta la presión sobre nuestro tiempo, hay muchas cosas que empezamos a tachar de nuestras listas de «cosas pendientes». En lo que a calidad de vida se refiere, eso no siempre es positivo.

Timothy Ferris, en su libro *La semana laboral de 4 horas*, habla de la diferencia entre ser efectivo y ser eficiente. La efectividad es hacer las cosas que te acercan a tus metas. Por otra parte, la eficiencia hace referencia a hacer las tareas, importantes o no, de la forma más económica posible. Personas muy eficientes pueden estar haciendo cosas que no contribuyan en nada en hacer que la organización sea más efectiva. Por ejemplo, puedes ser muy buen vendedor de libros, pero si el mercado se está alejando de los libros impresos y se decanta por el libro electrónico virtual, por muy buen vendedor que seas, acabarás perdiendo tu trabajo. Puedes ser muy bueno haciendo informes, pero si esos informes no son muy útiles para la compañía, estarás siendo eficiente, pero no efectivo. Un amigo mío se dedicaba a la formación para empresas. El negocio no iba muy bien. Tuve una charla con la directora de su oficina y aluciné cuando descubrí que se pasaba la mayor parte del tiempo haciendo informes, todos ellos simplemente reflejaban lo mal que iba el negocio y las previsiones para el futuro. Le pregunté: «¿Cuántos informes necesitas para pasar a la acción?» Su tiempo habría sido más productivo si en vez de dedicarse a hacer informes se hubiera dedicado a pensar en formas de mejorar el rendimiento del negocio.

## Los ladrones del tiempo...

Cuando no te gusta lo que haces, los ladrones del tiempo pueden adoptar muchas formas.

### Trabajar en exceso

Un gran ladrón del tiempo es estar ocupado y trabajar en exceso. Los empleados cansados no sólo cometen más errores, sino que el exceso de trabajo les provoca estrés y tensiones. Las investigaciones confirman que trabajar en exceso durante mucho tiempo puede conducir al agotamiento que va en detrimento de la salud mental y física. Si no estás en buena forma mental y física, no eres bueno para nadie, y mucho menos para ti mismo. Cuanto más alto sea el escalafón en el que se produzca esto en una empresa, más probable será que llegue a todos los niveles de la organización. Cuando el director ejecutivo está cansado y no es feliz, sus subordinados se contagiarán de ese estado. Esto no es bueno ni para la persona, ni para la compañía. El fabricante de coches Henry Ford, a mediados de la década de 1920, se dio cuenta de que reduciendo la jornada laboral de diez horas a ocho y la semana laboral de seis días a cinco, podía incrementar el rendimiento total de los trabajadores y reducir los gastos de producción. ¡Trabajar en exceso no compensa!

## La multitarea

Otro ladrón del tiempo es la multitarea. Se nos pide que hagamos más de una cosa a la vez y hemos de alternar las tareas. Es como hacer girar los platos chinos en un espectáculo circense de malabares. Los malabaristas hacen girar un montón de platos sobre sus palos y lo único que los mantiene en pie es el impulso del giro. En cuanto el impulso del giro desciende, el plato empieza a tambalearse. Salvo que los volvamos a impulsar enseguida, los platos se caerán al suelo y se romperán. Estás trabajando en un par de proyectos, el teléfono no para de sonar, llegan correos electrónicos constantemente a tu bandeja de entrada, cuando te diriges a una cena te suena el teléfono móvil, y así sucesivamente. ¡Bienvenido, al mundo del multitareísta!

Un principio muy útil en lo que a administrar el tiempo y la multitarea se refiere es el del 80/20. Este principio fue creado por Vilfredo Pareto, un ingeniero italiano, que lo descubrió al observar que el 20 por ciento de las vainas de guisantes de su huerto contenían el 80 por ciento de los guisantes. Extrapoló su observación y descubrió que el 80 por ciento de la fortuna de Italia estaba en manos de un 20 por ciento de la población. En la última década ha pasado a ser conocido como el principio del 80/20, especialmente, gracias al trabajo que realizó el doctor Joseph Juran en las décadas de 1930 y 1940, utilizando un principio que él denominó «pocos vitales y muchos triviales». Descubrió que en cualquier actividad hay unos pocos aspectos —20 por ciento— vitales y que la mayoría —80 por ciento— son triviales. El valor del principio de Pareto es que te recuerda que te has de enfocar en el 20 por ciento que importa. De todo lo que haces durante el día, sólo importa realmente un 20 por ciento. Ese 20 por ciento produce el 80 por ciento de tus resultados. Y hay un 20 por ciento de las cosas que te puede robar el 80 por ciento de tu tiempo.

### ADMINISTRA EL ESTAR OCUPADO Y LA MULTITAREA

- Evita tener demasiadas actividades, ideas o proyectos a la vez.
- Aprende a dar prioridad a tus ideas y a tus tareas, y termina las cosas una a una.
- Si tienes listas de «cosas pendientes», acórtalas y enumera las tareas por orden de prioridad.
- Aprende a distinguir entre lo que es importante para ti y lo que es importante para los demás.
- Identifica el 20 por ciento de las tareas en las que te has de concentrar.
- Practica decir sí y no.
- Lo primero que harás al levantarte por la mañana es concentrarte sólo en esas tareas.
- Cuando trabajes, desconecta todas las demás distracciones como el teléfono o el correo electrónico.
- Si has de hacer una interrupción, hazte notas para que cuando regreses vuelvas a coger el hilo.
- Archiva las tareas que ya hayas terminado o que ya no sean importantes.
- Planifícate el día en bloques de tiempo, dejando algunos abiertos para los imprevistos.
- Haz pausas regularmente; practica conservar el equilibrio y la cordura y permanecer centrado.

## Sobrecarga sensorial

Otro ladrón del tiempo es la información y la sobrecarga sensorial. Actualmente, la persona media está expuesta a más información en un solo día que muchos de nuestros antepasados en toda su vida. La mayoría somos bombardeados con información, de la mañana a la noche. Esto se agudiza si vives en una ciudad. Estamos rodeados por la televisión, la radio, los iPods,

### DETÉN LA SOBRECARGA SENSORIAL

- Empieza a restringir la cantidad de información que recibes.
- No veas tanto la televisión. Reduce el tiempo a una hora o menos al día como mucho. No leas tantos periódicos, revistas o libros. Lee un libro o una revista a la vez.
- No pases tanto tiempo delante de tu ordenador. Deja de jugar con los juegos de ordenador. No navegues por Internet y deja de chatear para decir tonterías en las redes sociales.
- Haz pausas regularmente y estírate. Hazte una taza de té y disfrútala realmente. Dale un descanso a tu cerebro. Practica la meditación silenciosa y airea un poco tus pensamientos. Siéntate al aire libre, disfruta de la paz y la tranquilidad y de los efectos terapéuticos de las flores y del sol. Dedica tiempo a placeres como el masaje sensual.

periódicos, revistas, anuncios, conversaciones, ruidos y olores. Vivimos en un mundo de *soundbites* y *tweets*. Tal cantidad de imágenes, sonidos y sensaciones puede llegar a abrumarnos. Nuestra mente consciente es como el disco duro de un ordenador; sólo tiene una cantidad limitada de memoria de procesamiento. Cuando la excedemos, empezamos a estar confundidos, cansados, dispersos y no podemos concentrarnos.

## Procrastinación

Una de las formas de perder el tiempo es postergar las cosas que no son importantes. Hace trescientos años, el poeta inglés Edward Young escribió: «La procrastinación es el ladrón del tiempo». La procrastinación te robará tu tiempo y tu energía. Postergar las cosas exige mucha energía mental; cuanto más postergues, más cosas tendrás de qué ocuparte después. Y siempre existe el peligro de que lo que hoy estás postergando cobre importancia y mañana se convierta en una crisis.

### DEJA DE PROCRASTINAR

Por lo general, una larga lista de «cosas pendientes» aumenta las posibilidades de procrastinación. La consecuencia es el sentimiento de culpa, que acaba abrumándote. Por otra parte, he descubierto que reducir estas listas de «cosas pendientes» suele aumentar el entusiasmo y nuestra capacidad de recursos.

- Mantén tu lista de cosas pendientes en un nivel sostenible.
- Sé realista respecto a cuánto tiempo te llevará: no acumules tareas cuando no tienes mucho tiempo.
- Haz un esfuerzo consciente para reducir tu lista de cosas pendientes.
- En la medida de lo posible, procura que los demás no te impongan tareas innecesarias.
- A veces postergas las cosas porque algunas de las tareas están a la espera de una solución. Aprende a concentrarte en la solución, amplía tu perspectiva, averigua cómo han hallado soluciones otras personas que estaban en situaciones parecidas, busca ayuda o consejo.

## Aprende a delegar...

Para ser efectivo habrá momentos en los que tendrás que delegar el trabajo, especialmente, si eres un directivo o líder. Nadie puede hacerlo todo y es muy fácil perderse en los detalles y olvidar el tema central que nos ocupa. Como jefe, las ventajas de delegar es que alivia la presión laboral y te da más tiempo para hacer tareas más importantes. Las razones más habituales por las que las personas no delegan son: creer que nadie más puede hacerlo tan bien o tan deprisa; que los demás no son de confianza; que van a enredar las cosas; que llevará mucho tiempo enseñar a las personas, o que enseñar a los demás te hará menos indispensable.

### CONSEJOS PARA DELEGAR

1. **Aclárate.** Aclara lo que quieres conseguir. Aclara lo que quieres que hagan los demás. Ten claro cómo vas a utilizar el tiempo que has conseguido.
2. **Exprésalo con claridad.** Comunica las cosas con claridad; deja que los otros sepan lo que quieres. Sé específico. Comunica cuáles son tus objetivos. Da instrucciones claras. Haz saber tus expectativas. Pon fechas tope realistas.
3. **No interfieras.** Confía en las personas en las que has delegado. Evita cualquier intento de dirigir. Deja que los demás trabajen a su manera. Déjate sorprender por los recursos de otras personas.
4. **Haz un seguimiento.** Delegar no significa desentenderte por completo. Haz un seguimiento para asegurarte de que se ha hecho el trabajo.

Conocí a una persona que dirigía una organización, pero que tenía la mayor parte de estas creencias. Al cabo de un año sus niveles de estrés eran tan altos que tuvo que ir al médico para que le recetara medicación para el estrés y la depresión. Sólo necesitó seis meses más para dejar su trabajo. Afortunadamente, la otra persona que ocupó el puesto sabía delegar y crear una atmósfera de trabajo en equipo. Lo importante sobre saber delegar es que no se trata de asignar trabajos rutinarios a la primera persona que esté libre. Las tareas se han de repartir de acuerdo con las aptitudes y experiencia previa de todo el personal disponible.

## Sé dueño de tu propio tiempo...

Además de administrar tu tiempo, también puedes empezar a ser dueño del mismo. Una forma de hacerlo es trabajar de un modo más virtual. Esto puede liberarte para poder realizar parte de tu semana laboral en casa. Algunos trabajos se prestan a ello más que otros. La mayor parte de los trabajos de oficina se pueden hacer virtualmente.

Lo que has de tener en cuenta antes de pretender trabajar de un modo más virtual es saber cómo administras tu tiempo; con qué facilidad te distraes; si eres una persona organizada; con qué facilidad tiendes a trabajar en exceso o a postergar, y lo importante que es para ti trabajar con otras personas. Como trabajador o trabajadora virtual no podrás disfrutar de los breves encuentros con los compañeros junto a la máquina de café o el dispensador de agua para comentar las novedades. Tendrás que ser más proactivo para organizar reuniones y estar conectado a Internet para evitar sentirte aislado.

Otro factor importante que hay que tener en cuenta es la importancia del reconocimiento y aprecio del trabajo realizado. Es más fácil sentirse valorado cuando el reconocimiento es en persona que cuando es a través de un correo electrónico. Por ejemplo, una forma de probarlo es trabajar virtualmente una vez a la semana y observar cómo te sientes. El reto está en convencer al jefe de que es una forma efectiva de trabajar; ha de convenir a todos para que realmente funcione y a largo plazo debe ayudarte a administrar bien tu tiempo.

Cuando eres emprendedor o trabajas por cuenta propia, el trabajo virtual suele ser ideal. Te da más flexibilidad y te evita la necesidad de tener un local como despacho. Tu oficina es tu portátil y tu móvil.

Cuando Brigit tenía dieciséis años «hizo las maletas y se fue a una escuela a estudiar gestión de centros equinos», era una estudiante «demasiado mediocre» como para sacar sobresalientes. Al cabo de dos años de andar con pantalones de montar y de oler a estiércol, se dio cuenta de que no era la vida que deseaba. Consiguió un trabajo de secretaria y en los cuatro años siguientes fue progresando en la empresa: de administrativa, pasó a contabilidad, luego a asesoramiento técnico y por último al departamento de ventas. A la tierna edad de veintidós años viajaba regularmente por Europa haciendo presentaciones. Brigit me dijo: «Por fin, había encontrado algo que podía hacer, algo nuevo, apasionante, en un mundo que no era de mujeres y donde yo no era mediocre». Esto era a mediados de la década de 1980, cuando empezaba la revolución de los ordenadores. Se dedicaba a comercializar ordenadores IBM y Compaq. A los dos años, el alto precio del alquiler de las oficinas, el tremendo presupuesto de marketing y las elevadas comisiones llevaron a la empresa a la suspensión de pagos y Brigit se encontró en la calle. Pero esto fue una gran oportunidad, puesto que ya tenía una sólida clientela que también se había quedado sin servicio debido a la quiebra de la empresa. Empezó a ofrecer soporte técnico y formación a los clientes, lo que le sirvió para darse cuenta de que podía montar su propio negocio para realizar este tipo de trabajo. Veinticinco años después, es la propietaria de una próspera y conocida empresa. Le pregunté qué era lo que más le gustaba de su trabajo. «Con las maravillas de la tecnología a distancia, puedo acceder a los sistemas de mis clientes desde mi casa en el campo y ahora visito a mis clientes de Londres cada quincena. Tengo un trabajo flexible que me permite viajar. Cada año viajo durante tres meses. Cada mañana me despierto contenta y mantengo ese estado el resto del día.»

---

Y dejamos a la liebre a punto de hacer la siesta. Y la hizo: se quedó tan profundamente dormida que estaba roncando cuando se empezó a poner el sol en el horizonte. Entretanto, la tortuga, lenta pero segura, ya casi estaba llegando a la línea de llegada. La liebre se despertó sobresaltada. Vio a la tortuga a lo lejos, dio un salto y corrió a toda velocidad por la pista. Pero fue demasiado tarde para el esfuerzo final de la liebre, y la tortuga llegó primera a la meta. Agotada y desanimada, la liebre se desplomó junto a la tortuga. «¡Con la lentitud se consigue todo!», le dijo la tortuga.

---

## Estate presente, receptivo y quieto...

En China cada mañana millones de personas mayores se reúnen en los parques para practicar taichi, un antiguo arte marcial que se basa en movimientos lentos y fluidos. Es un tipo de ejercicio muy distinto al que promueve la era del ejercicio físico cuyo lema es «quien algo quiere algo le cuesta». Sus movimientos son lentos y suelen tener un efecto curativo y restaurador sobre la mente y el cuerpo. El taichi se practica mucho en Asia por su capacidad para reducir el estrés, mejorar la postura y aumentar el *chi* o la energía, la resistencia, la flexibilidad y el equilibrio. Puesto que es muy apto para personas de cualquier edad, sentía curiosidad por saber por qué los jóvenes no parecían tener mucho interés. Le pregunté a una amiga china y me dijo que las nuevas generaciones no están interesadas porque no tienen tiempo, ya que han de trabajar. Es una lástima, puesto que el taichi es una gran práctica si quieres aprender a estar presente, receptivo y quieto. Pero si no tienes tiempo de aprender taichi, hay otras formas de estar más presente y centrado en tu vida.

## ESTATE PRESENTE, RECEPTIVO Y QUIETO

**Estate presente:** practica estar presente con todas las personas que te relacionas, desde la cajera del supermercado, hasta las personas con las que compartes el transporte público o tus compañeros de trabajo. Tómate tu tiempo para conectar contigo mismo y dejar de correr; tómate tu tiempo para hablar con otras personas; procura no interrumpir y anima a los demás a que digan lo que piensan.

**Sé receptivo:** procura no decir a otras personas lo que tienen que hacer o cómo hacerlo; haz preguntas en vez de ofrecer soluciones; busca diferentes formas de ver un asunto y practica el arte de escuchar de verdad.

**Practica la quietud:** tómate tu tiempo para estar sin hacer prácticamente nada; aprende distintas formas de meditar; date largos baños de agua caliente; da largos paseos al aire libre; observa la quietud y la belleza a tu alrededor; sonríe a las flores, abraza a un árbol, haz yoga o taichi, aprende a hacer garabatos.

## Haz que tu tiempo pase más lento...

A veces es útil saber aminorar el paso del tiempo si nos parece que va muy deprisa y que se nos escapa. ¿Cómo es posible? Bien, como he dicho antes, el tiempo está conectado con la fuerza y la gravedad en nuestro mundo exterior, pero también es una construcción mental. Como construcción mental puedes ralentizar tu experiencia del tiempo. Imagina por un momento que estás en el puente de *USS Enterprise* y que tomas un ascensor para ir a una de sus holocubiertas. Entras en una habitación y a tu alrededor te encuentras con un holograma de un bosque generado por ordenador. Es muy denso y verde y la luz del sol penetra desde lo alto, iluminando el suelo del bosque. Hay insectos exóticos y un montón de hermosas mariposas de distintos tamaños y colores. Programas el ordenador de la nave para que ralentice el tiempo para poder observarlo todo a cámara lenta: las alas de las mariposas aletean suavemente a tu alrededor. Luego le dices que congele la imagen y las mariposas se paran a medio vuelo. En tu imaginación puedes alterar tu experiencia del tiempo del mismo modo. Así es como trabaja el inconsciente, puede ralentizar nuestra experiencia del tiempo.

Hay momentos en que es útil ralentizar el tiempo interior. Por ejemplo, si estás disfrutando con una experiencia y parece que el tiempo pasa deprisa, puedes ralentizar la experiencia interna y aprender a saborear cada momento más plenamente. Incluso puedes congelar algunos pensamientos «negativos» que te están provocando algún tipo de sufrimiento e imaginar que explotan en mil pedazos. Es una gran forma de comunicarte con tu inconsciente para empezar a filtrar esos pensamientos.

### EJERCICIO

### Ralentiza tu tiempo interior

Puedes hacer este ejercicio cuando estés estresado, ocupado, agobiado por el tiempo, con una fecha de entrega o cuando te parezca que todo va demasiado rápido. Va bien para planificar algún acontecimiento futuro en el que te gustaría que el tiempo pasara más despacio.

1. Recuerda alguna experiencia del pasado en la que el tiempo pasara muy despacio y de forma muy agradable. Quizás estabas en algún lugar hermoso y podías sentir todo lo que te rodeaba: podías sentir el lugar, su olor, sus sonidos y sus vistas. Observa cómo te sientes físicamente al recordar esto. Así es como experimentas el tiempo cuando pasa lento y es agradable.
2. Observa esta sensación, observa en qué parte del cuerpo la sientes. Luego imagina que la extiendes a todo tu cuerpo y a tu alrededor. Observa lo agradable que es la sensación. Después observa de qué color es esa sensación. Cuando te plantees la pregunta, tu inconsciente te dará la respuesta: no has de pensar demasiado. Ahora haz más vívidos y hermosos los colores y deja que envuelvan tu cuerpo.
3. Piensa en algo que estés a punto de hacer que te gustaría experimentar más despacio. Quizás algo que en el pasado te resultó estresante. Imagínalo vívidamente.
4. Luego integra la sensación de tiempo lento y agradable. Primero recuerda la sensación en tu cuerpo y luego el color del tiempo lento. Deja que la sensación y el color del tiempo lento impregnen la construcción de la imagen de la futura experiencia. Cuando piensas en este futuro, imagina —quizá como si fuera una imagen congelada o un videoclip interno— que se está impregnando del color del tiempo lento. Observa cómo el tiempo parece ralentizarse, a la vez que aumenta el sentimiento de placer en la experiencia. Permanece en este estado el tiempo que necesites y luego regresa a la realidad cotidiana.

---

## Tómate un respiro...

Susie se preparaba para ser bailarina de ballet clásico, pero se desencantó y dejó de practicar durante un tiempo. Le pregunté qué pensaba del trabajo y me respondió: «Vivimos en una cultura que se basa en los resultados y que nos hace sentir culpables si no logramos algo. ¿Cómo experimentaríamos la vida si nos conformáramos con ser? Estamos demasiado acostumbrados a ganar o perder. "Perdemos" peso, "conseguimos" un diploma. ¿Y si no hubiera resultados? La idea de que pase el tiempo sin conseguir un resultado final es bastante nueva para mí. Es un concepto que estoy empezando a indagar. Al fin y al cabo, ¿qué sentido tendría dejar pasar el tiempo y no tener nada que mostrar? Ninguna prueba fotográfica, ninguna enseñanza de sabiduría, ningún arte».

Esto se solía llamar tomarse un año sabático. El Antiguo Testamento animaba a todo el mundo a tomarse un año sabático cada siete años. Durante ese año de descanso, los campos tenían que quedar en barbecho, se condonaban las deudas, se arreglaban las relaciones y se fomentaba la introspección. Con el tiempo, el concepto de tomarse un año sabático prácticamente ha desaparecido. Por no descansar, muchos ni siquiera nos tomamos un día de fiesta a la semana.

Belinda y Toby dejaron sus puestos de ejecutivos, vendieron su gran casa y sus radiantes coches y se dedicaron a viajar. Sus hijos ya eran mayores y se habían marchado de casa, querían desarrollar más su parte espiritual y hacer algo en la vida que para ellos tuviera más sentido. Esto fue un gran cambio en su estilo de vida, y abandonar el Reino Unido, a sus familias y amigos, para saborear más de lo que el mundo tenía que ofrecerles, fue un gran salto al vacío. También fue una gran oportunidad para conocer el mundo, desconectarse paulatinamente de su trabajo de los últimos veinte años y relajarse para seguir a un ritmo más pausado y estable. Parte de su plan era visitar Perú, donde asistieron a un ritual espiritual en la montaña. Allí experimentaron un gran despertar espiritual y descubrieron su camino en la vida. Tenían pensado viajar durante otro año más, pero decidieron trasladarse a Ibiza. Ahora viven en esta isla con un modesto presupuesto en comparación con su despilfarrador estilo de vida en Inglaterra. Pero les encanta su sencilla forma de vivir y no tienen ninguna intención de volver a la «jungla de la competitividad».

Cheryl también se marchó a Ibiza cuando era joven, pero no para tomarse un respiro, sino para explorar la isla por su reputación de ser la utopía del hedonismo y un lugar para evadirse. En aquellos momentos de su vida todo se basaba en pasárselo bien. Algunos años más tarde le diagnosticaron encefalomielitis miálgica (síndrome de la fatiga crónica) y regresó a Ibiza por

## ¿CUÁNDO ES EL MOMENTO PARA TOMARSE UN TIEMPO LIBRE?

Puede que sea el momento de tomarte un tiempo libre cuando:

- No recuerdas cuándo fue la última vez que descansaste de tu trabajo.
- No recuerdas cuándo fue la última vez que saliste a divertirte.
- Cuando el único ejercicio físico que haces es ir y volver de la fotocopiadora.
- Cuando piensas demasiado en tu trabajo.
- Cuando te cuesta dormir.
- Cuando los amigos te dicen que necesitas hacer una pausa.
- Cuando piensas que has estado trabajando mucho.
- Cuando has terminado un proyecto, un trabajo o acaba una relación larga.
- Cuando sientes el cansancio en tus huesos; estás quemado.
- Cuando lo que antes te apasionaba ya no te gusta.
- Cuando sientes que ha llegado la hora de tomar un nuevo camino en tu vida.

otros motivos: esta vez para explorar un mundo de sanación, mente, cuerpo y espíritu. Sin ahorros, ni trabajo, ni un propósito real, más que el de encontrar una curación, se fue a vivir a Ibiza. «Lo que sucedió a continuación fue el año más profundo y transformador de toda mi vida hasta el momento. Fue un año en que viví al límite, pero a finales del mismo había descubierto el propósito de mi vida, algo que me trascendía. Fue una aventura interna de descubrimiento. Fue una etapa de soltar una a una todas las capas de condicionamientos sociales y de miedos. De adoptar la visión de las muñecas rusas y descubrir la verdadera esencia de quién soy yo. De descubrir qué es lo que hay debajo, de ser auténtica y de conocerme a mí misma», me respondió. Últimamente, me he enterado de la «coincidencia» de que Cheryl es buena amiga de Toby y Belinda.

Nicholas era licenciado en ingeniería química y trabajó de director de proyectos para una gran compañía de telefonía por satélite, en Londres. Se tomó un tiempo libre para ir a hacer un retiro a España. Nicholas me habló del momento en que decidió cambiar su vida. «Me acababa de levantar de la cama y me puse a contemplar un precioso amanecer en Sierra Nevada. Me dije a mí mismo: "Ya no puedo seguir con esto".» Supo que necesitaba un cambio radical y a su regreso a Londres comunicó a sus jefes que deseaba marcharse, negoció trabajar a tiempo parcial y se comprometió a terminar todos los proyectos que eran de su competencia. Luego se dedicó a viajar. Pasó mucho tiempo en la India, en el Himalaya, en los Andes y en Centroamérica. Al final regresó al Reino Unido y decidió convertir su práctica espiritual de «afición de los fines de semana» en un negocio a tiempo completo. Eso fue hace doce años, y desde entonces dirige su propio negocio haciendo lo que le gusta. «Y nunca me he arrepentido de haber abandonado el mundo empresarial», dice.

Los chinos tienen un proverbio: «La persona que regresa de un viaje nunca vuelve a ser la misma persona que lo inició». Eso fue también lo que les sucedió a los autores de *Six Months Off*, Hope Dlugozima, James Scott y David Sharp, tres periodistas que se tomaron un respiro para escribir su libro. Entrevistaron a cientos de personas que se habían tomado años sabáticos y ninguno se había arrepentido de haberlo hecho. *¡Ni una sola persona!* Descubrieron que las personas que se habían tomado un largo descanso de su trabajo sentían que había mejorado su salud mental; habían «recargado baterías», y encontrado un espacio para perseguir sus nuevos retos personales y profesionales.

## Declaración de intenciones

1. Estoy dispuesto a presenciar y a transformar todo el sufrimiento que surge en mi trabajo. Estoy dispuesto a liberarme de la limitación de todos mis condicionamientos, creencias, suposiciones, pactos inconscientes, obligaciones, dramas, de la actitud de perseguidor, salvador o víctima que me bloquean.
2. Estoy dispuesto a ser más auténtico, estar más presente, ser más consciente en mi vida y en mi trabajo. Estoy dispuesto a dejar de confiar excesivamente en vivir con el piloto automático. Estoy dispuesto a ser totalmente yo mismo.
3. Estoy dispuesto a transformar mi actitud y mi perspectiva en mi trabajo. Estoy dispuesto a afrontar todos mis temores sobre el presente y el futuro. Estoy dispuesto a ver un futuro brillante, expansivo, incitante y esperanzador abriéndose ante mí.
4. Estoy dispuesto a reconocer que mi tiempo en la Tierra es limitado. Estoy dispuesto a reconocer que mi tiempo es muy valioso. Estoy dispuesto a utilizar mejor mi tiempo.
5. Estoy dispuesto a aceptar la totalidad de mis dones, recursos, aptitudes y talentos. Estoy dispuesto a utilizar mi intelecto con mi imaginación y mi intuición. Estoy dispuesto a desarrollar mis aptitudes. Estoy dispuesto a encontrar mi lugar en el mundo. Estoy dispuesto a escuchar la información que recibo y a utilizarla correctamente.
6. Estoy dispuesto a divertirme, a estar de buen humor, a reírme y al juego creativo en mi trabajo. Estoy dispuesto a no tomarme tan en serio.
7. Estoy dispuesto a divertirme, a jugar y a que entren en mi vida personas positivas. Estoy dispuesto a abrirme y a conectar de verdad con otros exploradores y pioneros de los campos que he elegido.
8. Estoy dispuesto a que mi trabajo sea una historia de amor. Estoy dispuesto a descubrir mis verdaderos principios. Estoy dispuesto a que el entusiasmo y la alegría entren en mi trabajo. Estoy dispuesto a disfrutar con lo que hago. Estoy dispuesto a que se me revele cuál

va a ser el trabajo de mi vida. Estoy dispuesto a soñar con mi trabajo hasta que se haga realidad.

9. Estoy dispuesto a fluir como el agua en vez de luchar. Estoy dispuesto a actuar sin esfuerzo de acuerdo con mis verdaderos principios. Estoy dispuesto a estar en el lugar correcto en el momento correcto. Estoy dispuesto a que mi trabajo se desarrolle con facilidad y gracia. Estoy dispuesto a trabajar con más dicha si cabe.
10. Estoy dispuesto a emprender este viaje y encontrar mi propio camino. Estoy dispuesto a confiar en mi guía interior y a terminar este viaje, dondequiera que me lleve.

# 7

# Aumenta tus recursos

«Si no tienes piernas, corre.
Si no tienes voz, grita.
Si no tienes esperanza, inventa.»

CIRQUE DU SOLEIL

En una estación de metro de Washington DC, una fría mañana de enero, un hombre se puso a tocar su violín. Interpretó seis obras de Bach durante cuarenta y cinco minutos y en ese tiempo unas dos mil personas pasaron por allí, la mayoría se dirigían a su trabajo. La mayor parte del tiempo nadie se fijaba en la música. A los cuatro minutos, el violinista recibió su primer dólar, a los cuarenta y cinco minutos había recolectado treinta y dos dólares. Cuando terminó, recogió y se marchó. Nadie se dio cuenta, ni nadie aplaudió. De lo que sí se dieron cuenta unas pocas personas que estuvieron presentes es de que el violinista había interpretado una de las piezas más complejas escritas para violín y con un instrumento valorado en 3,5 millones de dólares. Dos días antes de esta actuación, todas las entradas del concierto del violinista Joshua Bell, cuyo precio medio era de cien dólares habían sido vendidas en Boston.

## Tenemos recursos por naturaleza...

Pon a una persona con talento en un entorno incorrecto y nadie la reconocerá. Mantenla demasiado tiempo allí y se olvidará de que tiene talento. Por esta razón, no sabes realmente lo que eres capaz de hacer en tu vida: no conoces todas tus aptitudes, talentos y recursos. Puede parecer una afirmación muy arriesgada, pero por desgracia he podido comprobar que es cierta para la mayoría de las personas.

La idea de que tienes talento no es nueva, aunque te pueda parecer una teoría interesante si has crecido en un entorno familiar crítico, has recibido una educación con una rígida visión de hemisferio izquierdo y luego te has puesto a trabajar en un sitio donde tus dones y habilidades no son reconocidos y no se utilizan. Cuando no se ve un don, en el mejor de los casos éste suele permanecer en estado latente y en el peor marchitarse. El trabajo industrial suele ser repetitivo y no está diseñado para personas con talentos especiales. Para trabajar en una fábrica no hace falta ser un genio, pero tienes que cumplir. Cuando un talento no se usa, se olvida. Entonces se convierte en un mito, no en una realidad.

Es importante que te des cuenta de que tienes un don, tanto si lo sabes como si no. Probablemente, conoces algunos de tus dones y talentos, pero de una cosa puedes estar seguro: de que tienes muchos más. Puede que creas que has alcanzado el límite de tu potencial porque tu trabajo no te exige más. Puedes ser un escritor, chef, ingeniero, directivo o guionista destacado, y haber llegado al final de lo que puedes conseguir en esa línea de trabajo. Lo que ayer era un reto, ahora simplemente es rutina. Tengo un amigo que es un famoso escritor de ensayos. Tras haberse dedicado a este género durante muchos años, necesitaba un nuevo reto. Se fue a hacer retiro de un mes y regresó con la idea de escribir una novela. La idea le entusiasmó y se puso enseguida manos a la obra. Escribir una novela le condujo a un nuevo territorio donde tenía que trabajar con su imaginación creativa. Era un tipo de escritura muy distinto y descubrió que era bueno en el mismo. Ahora se acaba de publicar su libro y le deseo lo mejor.

William James, autor de *Principios de psicología*, escribió: «La mayoría de las personas viven, sea física, intelectual o moralmente, en un círculo muy restringido de la potencialidad de su ser». Esto es un tipo de sufrimiento que afecta a millones, quizás a miles de millones de personas. En alguna parte, tenemos el concepto de que la vida es algo más que lo que estamos haciendo. Quizá lo hemos leído en un libro, en un artículo de una revista o en un periódico. Desde luego no es una idea nueva. Hasta que llega un momento en que nos damos cuenta de que somos capaces de mucho más. Hace tiempo conocí a un hombre llamado Gerald que era formador y asesor empresarial. Tenía éxito y le gustaba su trabajo. Le pregunté cómo empezó. Me contó que antes trabajaba de jardinero en los jardines de una facultad de empresariales. Mientras hacía su trabajo muchas veces tenía la oportunidad de escuchar las clases a través de las ventanas abiertas. Eso despertó su interés y preguntó si un día podía asistir a una de las clases. La facultad accedió y se enganchó desde ese día. Dejó la jardinería y empezó a ir a clase regularmente. Antes de haber escuchado las clases de administración de empresas no tenía ni la menor idea de que ese tema le interesase. Y tampoco tenía la menor idea de que sería bueno en esa materia hasta que se puso en ello. Escuchó la llamada.

Puede que seas una persona creativa e innovadora, pero si tienes un puesto que se basa más bien en la organización y la estructura te costará descubrir tus talentos creativos. Puedes ser profesor, comunicador o escritor de manera innata, pero si trabajas en un lugar donde la producción es más importante que la comunicación, te costará más descubrir y desarrollar tus habilidades naturales.

Algunos trabajos no son sólo el tipo de trabajo incorrecto para ti, sino que te hacen ir para atrás. Puede que no se deba sólo al tipo de trabajo en sí mismo. Puede que se deba al trato que recibes. En algunos lugares te tratan como si fueras incompetente, quizás hasta como si fueras imbécil. Por raro que parezca, algunos directivos prefieren mantener a sus empleados en un estado de incapacidad perpetua a través de críticas constantes. Es una forma de controlar a las personas que pertenece a la antigua mentalidad industrial, pero que todavía podemos encontrar en muchos puestos de trabajo modernos. Básicamente, lo que crea esto es una cultura de conflicto y de mediocridad. No cabe duda de que no es fácil dar rienda suelta a tu talento en un entorno al que no le importa tu esencia y que crea distracciones y situaciones que impiden que desarrolles tus talentos; yo lo llamo «estar atrapado en un espacio sin recursos».

Podemos estar condicionados a permanecer en un estado sin recursos. Como ya hemos visto, a esto se le llama ser una víctima: una actitud aprendida que nos impide descubrir lo que valemos y cuáles son nuestros talentos. ¿Recuerdas el juego de mesa para niños que se llama *Serpientes y escaleras*? Pues bien, este juego describe perfectamente cómo pasamos de un estado psicológico a otro. Cuando estás en un estado positivo como el entusiasmo, la alegría o el optimismo, subes la escalera. Cuando subes, sientes más energía y vitalidad físicamente. Tienes la mente clara, estás más centrado y más seguro de ti mismo. Por el contrario, cuando estás en un estado negativo como la ira, el aburrimiento, el miedo, la frustración, el sentido de culpa o el resentimiento, desciendes. En tu descenso te notas que te consumes, te sientes más débil, confuso e incapaz.

El orador y poeta Ralph Waldo Emerson dijo: «La mayoría de las sombras de esta vida se producen porque tapamos nuestro propio sol». Hay estados llenos de recursos como ser creativos, felices, estar motivados o relajados. Hay estados carentes de recursos como estar enfadados, tener miedo, resentimiento o tensión. Siempre estamos en un estado psicológico, «no podemos» evitar estar en algún estado. Mientras estemos en este planeta experimentaremos un estado u otro. Sentir que estamos establecidos en estados donde hay más recursos suele conducirnos a una vida más feliz, satisfactoria y de realización personal. En un estado lleno de recursos, podemos acceder más fácilmente a las emociones, recuerdos, estrategias, habilidades y talentos.

Podemos aprender a dejar de sentir que no tenemos recursos y sentir que sí los tenemos. Basta con tomar conciencia y ponerlo en práctica.

## CAMBIAR UN ESTADO CARENTE DE RECURSOS

Si un estado psicológico nos está causando sufrimiento, hemos de interrumpirlo. Si estás en un estado donde no tienes recursos, prueba una de estas cosas:

- Sal a dar un paseo.
- Respira más profundamente.
- Siéntate junto a un árbol.
- Escucha algo gracioso.
- Escribe o pinta.
- Golpea un cojín.
- Juega a algo.
- Di enérgicamente en voz alta tu propio nombre.
- Pon música relajante, vigorosa o que te anime.
- Di sandeces durante cinco minutos.
- Haz que algún amigo te lleve a algún lugar por sorpresa.
- Habla con alguien que no conoces.
- Di afirmaciones.
- Tómate un té caliente.
- Rememora algún recuerdo feliz.
- Busca por la calle personas sonrientes o que se estén riendo sin motivo alguno.
- Busca alguna razón para reírte o sonreír.
- Lee un poema.
- Ve a nadar.
- Haz algo de ejercicio físico.
- Mira una película inspiradora.
- Ve a un concierto.
- Haz algo diferente, ¡lo que sea! Empieza a acostumbrar a tu cerebro y sistema nervioso a estar feliz, en vez de depresivo; a ser optimista, en vez de pesimista.

## LA MEDITACIÓN

### Invierte un estado negativo

Este proceso procede del Institute of HeartMath. Puedes practicarlo tres o cuatro veces al día, al despertarte, antes de acostarte y justo antes de tomar una decisión.

1. Traslada tu atención al corazón. Si te sirve de ayuda, puedes colocar la mano en la zona del corazón.
2. Imagina que inspiras y espiras desde el corazón. Encuentra el ritmo natural de tu respiración.
3. Cuando respires empieza a concentrarte en una emoción positiva como el amor o el aprecio. Puede ayudarte recordar algún momento en que tuvieras esos sentimientos. Hazlo durante unos minutos hasta que te afiances en ese estado.

## Transforma un lugar de trabajo sin recursos...

### En ti

Si tienes algún problema en el trabajo, pide ayuda, consulta a un amigo o a un mentor. Recuerda que no tienes por qué resolverlo solo. Recuerda que eres igual de bueno y valioso, aunque no estés haciendo algo bien.

### En un compañero

No te tomes su falta de recursos como algo personal. La comunicación clara y auténtica siempre es importante. Procura no hablar generalizando afirmaciones u opiniones. Sé claro y compasivo; y recuerda que las otras personas también son buenas y valiosas, aunque no estén haciendo algo bien.

### En una empresa

Quizá la empresa para la que trabajas te está facilitando un espacio carente de recursos y no es consciente de ello. Recopila información de otros compañeros y busca su apoyo. ¿Tenéis una meta o visión común? ¿Hay que comunicar algo que no se tiene en cuenta en estos momentos? Reuniros para buscar soluciones efectivas, en vez de analizar más a fondo el problema.

## Estira ese cerebro...

Tenemos un cerebro y podemos usarlo o no usarlo. ¡Los últimos descubrimientos científicos demuestran que podemos entrenar a nuestro cerebro para ser más flexible y tener más recursos! El profesor de psicología Ian Robertson, en su libro *Modelar tu mente*, explica que no nacemos con un cerebro «rígido». Cada vez que hacemos algo diferente o nuevo se forman nuevas conexiones entre neuronas cerebrales que antes habían estado desconectadas: cuando aprendemos algo nuevo, literalmente estamos «esculpiendo» nuestra mente. Como dice el profesor Robertson: «El cerebro humano siempre ha sido plástico, es decir, que es modelado por lo que hacemos, lo que aprendemos y lo que pensamos».

Hay formas de mantener el cerebro sano. Hemos visto diferentes estados psicológicos, cada estado produce una química distinta en el cerebro. Por ejemplo, los niveles bajos de serotonina están asociados con la depresión y los de noradrenalina con la desesperanza. Por otra parte, estados más positivos liberan dopamina en el cerebro, y esto conduce a experiencias de placer, y la liberación de serotonina conduce a estados de felicidad aún mayores. Podemos fomentar la liberación de dopamina y serotonina haciendo actividades placenteras. Cualquier cosa desde un abrazo hasta hacer el amor o cualquier otra forma de expresión creativa. Aquí tienes algunas ideas para ejercitar tu cerebro y mantenerlo flexible y sano.

EJERCICIO

## Ejercita tu cerebro

Para mantener flexible tu cerebro, elige tareas:

- Que sean nuevas y sorprendentes, que te saquen de tu forma de pensar rutinaria.
- Que te enseñen algo nuevo y capten tu curiosidad, interés y toda tu atención.
- Que sean progresivas, que puedas empezar a un nivel que esté dentro de tus capacidades hasta ir haciendo tareas más difíciles.
- Que te ayuden a utilizar todos tus sentidos: lo que oyes, ves o sientes, saboreas y hueles.
- Que sean agradables, flexibles y gratificantes, para que puedan ampliar tu capacidad para recordar.

## Abre ese corazón...

Tener recursos no es sólo desarrollar nuestro cerebro, también tenemos un corazón. Muchos científicos e investigadores dicen que el corazón es un «pequeño cerebro». El doctor J. A. Armour fue el primero en utilizar el término «cerebro del corazón» en 1991; descubrió que el corazón posee una red de neuronas y neurotransmisores similar a la que se encuentra en el cerebro. Este complejo circuito hace posible que el corazón actúe independientemente del cerebro: lo que le permite aprender, recordar e incluso sentir y notar.

Según los investigadores del HeartMath, el corazón es mucho más que una simple bomba: de hecho, es un centro autoorganizado y muy complejo de procesamiento de información con su propio «cerebro» funcional que se comunica e influye en el cerebro craneal a través del sistema nervioso, el sistema hormonal y otras vías. HeartMath lo denomina «Corazón Inteligente».

El corazón y el cerebro se influyen mutuamente en sus respectivos funcionamientos, aunque el corazón envía mucha más información al cerebro que a la inversa. La información que envía incluye señales que pueden influir en la percepción, experiencia emocional y funciones cognitivas superiores de una persona. Los investigadores han descubierto que mejorando intencionadamente el estado emocional podemos experimentar mayor claridad mental y ensalzar la conciencia intuitiva. Según las investigaciones de HeartMath, «parece evidente que el viejo conflicto entre el intelecto y la emoción no se resolverá con el dominio de la mente sobre las emociones, sino incrementando el equilibrio armonioso entre los dos sistemas: una síntesis que ofrece mayor accesibilidad a la totalidad de nuestra inteligencia».

Durante mucho tiempo se ha pensado que el corazón era el centro de nuestras emociones y, aunque en nuestro mundo laboral racional las emociones no siempre son bien recibidas, lo cierto es que son un gran tesoro. Nuestras emociones no son más que distintas formas de energía en movimiento dentro de nosotros, y cuando las dejamos fluir, pueden conducirnos a niveles más profundos de amor, alegría, inspiración, pasión, gratitud y serenidad.

La inteligencia emocional —IE— es un modelo conductual relativamente reciente, que surgió a raíz del libro de Daniel Goleman *La inteligencia emocional.* La inteligencia emocional es cada vez más importante en el trabajo porque nos ayuda a comprender y a evaluar la conducta, los tipos de dirección, actitudes, habilidades interpersonales y potencial. Tu IE se refiere a tu capacidad para comprender a otras personas y sentir empatía por ellas. La IE es tu capacidad para utilizar tus emociones de maneras positivas y constructivas. Se relaciona con comprometerse con los demás de un modo que atraiga a la gente, en vez de alejarla.

Howard Gardner, un psicólogo de la Universidad de Harvard y autor de *Estructuras de la mente. La teoría de las inteligencias múltiples*, dice que la inteligencia emocional es nuestra capacidad para comprender a otras personas, saber qué es lo que las motiva y cómo trabajar con ellas. La IE nos dice que nuestra forma convencional de medir la inteligencia es limitada. Puedes tener un doctorado en astrofísica, pero ser un inepto socialmente. Puedes ser brillante, pero te puede faltar la capacidad para saber cómo te sientes momento a momento. Si te falta IE, te faltará verdadera pasión, no sabrás qué es lo que te impulsa, no podrás ser totalmente transparente con las personas, y a raíz de ello será menos probable que otras personas confíen en ti. El trabajo puede ser un hervidero de emociones no expresadas o insuficientemente expresadas. Algunos estudios demuestran que la IE es un determinante del éxito y del desarrollo profesional mucho más exacto que las habilidades técnicas o un coeficiente intelectual alto.

Las personas con una buena IE son capaces de examinarse con sinceridad y reflejar con exactitud sus intenciones más profundas; ser conscientes de los desencadenantes emocionales en los momentos de estrés; conocer la diferencia entre agresividad y asertividad; saber cuándo hay que actuar y cuándo es mejor no hacer nada, detenerse a reflexionar antes de hablar o actuar, y ser más responsables.

## Sé fiel a tus aptitudes...

Si hay algo que puede ayudarnos a descubrir nuestros recursos internos, es aprender a desarrollar nuestras aptitudes, no nuestra incompetencia. En general, nos enseñan a fijarnos en lo que no hacemos bien. Quizás ésta sea una de las grandes falacias de nuestro sistema educativo. Marcus Buckingham, coautor de *Ahora descubra sus fortalezas*, dice: «Por desgracia, pocas personas somos conscientes de nuestros talentos y aptitudes [...], guiados por nuestros profesores, padres y jefes, nos convertimos en expertos en nuestra incompetencia y nos pasamos la vida intentando reparar nuestros fallos, mientras que nuestras aptitudes quedan en estado latente y relegadas».

Quizás el segundo gran error es aprender a ser aptos para todo. Ésta es una forma de evitar saber en qué destacamos realmente. Todo artista, atleta, emprendedor, político o científico famoso ha logrado su grandeza gracias a concentrarse en sus aptitudes. ¿Te imaginas que hubiera sucedido si Beckham, Chopin, Einstein, Obama o Pavarotti hubieran intentado ser aptos para todo? Lo que importa es que nos demos cuenta de que, por más que lo intentemos, es improbable que superemos la mediocridad en áreas para las que carecemos de verdadera aptitud o interés.

Quizás el tercer gran error sea pensar que siempre hemos de tener razón. Adquirimos recursos gracias a nuestras equivocaciones. ¡Tener recursos no

## ABRE TU CORAZÓN INTELIGENTE

Una buena práctica es la de hacer comprobaciones regularmente a lo largo del día. Empieza preguntándote: «¿Cómo me siento ahora mismo?» ¿Sientes ansiedad, estás enfadado, triste, excitado, feliz o agradecido? ¿Estás tenso o distendido? ¿Cómo te sientes en tu trabajo? ¿Qué sientes respecto a tus compañeros? ¿Qué sientes respecto a tu jefe? Los sentimientos no reconocidos pueden bloquear tu efectividad y felicidad. Responsabilízate de tus sentimientos. Cuanto más consciente y responsable seas de ti mismo, menos poder tendrán los demás para «sacarte de tus casillas». Evita los cotilleos de la oficina. Haz una pausa y respira antes de responder a situaciones emocionales. Escucha más que habla. Si estás enfadado, puede que tengas que comunicar este sentimiento con claridad: objetivamente, compasivamente, sin culpar y con un objetivo mental claro y positivo. Si estás triste, comunicarlo directamente a la parte interesada sin racionalizar el sentimiento puede llevarte a desarrollar nuevos niveles de autenticidad y de confianza. No te avergüences de expresar emociones «positivas» como el amor y la alegría; cuando las expresas apropiada y abiertamente llegas a las personas que tienes a tu alrededor, las reconfortas y las ayudas a elevarse. Construye buenas relaciones basándote en el apoyo y el afecto mutuo.

es lo mismo que ser perfeccionista! Cuando un niño aprende a andar, inevitablemente se tambalea y se cae. Cuando sucede eso, el niño se levanta y vuelve a intentarlo. ¡Te imaginas qué hubiera sucedido si cuando diste el primer paso y te caíste hubieras llegado a la conclusión de que tu carrera como andador había terminado!

Nosotros, los británicos, somos bastante tímidos y humildes en lo que se refiere a nuestras aptitudes; a diferencia de nuestros primos del otro lado del Atlántico, quienes han aprendido a ser más abiertos. No obstante, pregunté a unos cuantos amigos por sus aptitudes y al final conseguí sacarles algunas respuestas interesantes. Primero le pregunté a Erica, coach y formadora vocacional, sobre cuáles eran sus puntos fuertes en su trabajo. «Yo diría que mis puntos fuertes son mi habilidad para explicar teorías complejas de un modo sencillo y atractivo, para que sean útiles en las vidas de las personas y en su realidad práctica. Consciente o inconscientemente, soy una buena catalizadora para acelerar la autocomprensión, el crecimiento y la motivación en las personas. Cuando trabajo con grupos, siento que me cargo de energía, me centro, me afirmo y estoy totalmente presente. ¡No me cuesta hacerlo porque me apasiona lo que hago, siento pasión por las herramientas de transformación que enseño y pasión por el talento de las personas que hay en la sala!», me dijo.

Éste es el tipo de claridad que recomiendo a las personas que están buscando conocer sus aptitudes. Lo interesante de esto es que el mero hecho de ser consciente de una aptitud y reconocerla, aunque no sea por completo, te ayuda a que se manifieste más activamente en tu vida. Y estoy seguro de que estarás de acuerdo en que este ejercicio es mucho mejor que reconocer tu ignorancia en algunas áreas y hacer que estén más presentes en tu vida. Le pregunté a Richard, que trabaja con personas con problemas mentales y drogadicciones, sobre sus aptitudes, y me respondió: «Siento empatía por mis clientes, les apoyo, no les juzgo y he implantado unas fronteras saludables. Trabajo bien en equipo con mis compañeros, soy una persona coherente y fiable en cuanto a la calidad y el esmero que pongo en mi trabajo. Lo que hace que mi trabajo valga la pena es que el veinticinco por ciento de las personas con las que trabajo se recuperan y progresan». Ahora Richard está formándose como trabajador social. Probablemente, sea una de las personas con más empatía que conozco.

Bueno, ahora que ya tienes una idea de lo que quiero decir, vamos a ser más específicos con las aptitudes. Hay tres grandes categorías de aptitudes: aptitudes basadas en los conocimientos, aptitudes transferibles y características personales. Le pregunté a Bonnie, que trabaja en marketing, por sus aptitudes y me respondió: «El marketing es un híbrido de investigación, datos concretos, saber qué es lo que ha funcionado antes y las tendencias actuales del mercado. A veces es como si todo dependiera de fórmulas. Yo destaco en que soy innovadora e intuitiva por naturaleza, y que estoy dispuesta a asumir riesgos. Sé manejar las grandes ideas y el aspecto de dirección de proyectos, lo cual no es muy frecuente, puesto que la mayoría de las personas sobresalen en uno u otro aspecto. Soy una buena relaciones públicas, sé crear confianza y convencer a mis clientes para que se suban al tren de mis ideas». Bonnie posee aptitudes basadas en los conocimientos sobre su especialidad de marketing, aptitudes transferibles como saber tener una visión global y ser capaz de ocuparse de los detalles, don de gentes, intuición, innovación y capacidad para asumir riesgos. Aunque Bonnie no lo mencionó como aspectos de características personales, por experiencia personal sé que tiene un gran sentido del humor, que es flexible, puntual, fiable, una gran jugadora en equipo y una trabajadora incansable.

## Aptitudes basadas en los conocimientos

Son las que se adquieren en la escuela, universidades, escuelas técnicas, seminarios o en los cursos de formación de las empresas. Pueden ser especialidades amplias como informática o idiomas, o más específicas como diseño gráfico, dirección, marketing, relaciones públicas o recursos humanos, entre otras.

## Aptitudes transferibles

Son las aptitudes que puedes llevar de un trabajo a otro como la comunicación y el don de gentes, la capacidad de liderazgo, la capacidad para influir y guiar a otras personas, la capacidad de organización, para resolver problemas, de planificación y de control del tiempo.

## Aptitudes personales

Son tus cualidades únicas, como valor, curiosidad, innovación, buen criterio, flexibilidad, concentración, autodisciplina, pasión y confianza.

## EJERCICIO

### Descubre tus aptitudes

Responde a cada una de las siguientes preguntas teniendo en cuenta las tres clasificaciones de aptitudes basadas en los conocimientos, aptitudes transferibles y aptitudes personales:

- ¿Qué aptitudes reconoces tener en tu actual trabajo?
- ¿Qué aptitudes has desarrollado en trabajos anteriores?
- ¿Qué aptitudes reconoces que usas fuera de tu trabajo?
- Piensa en tres ocasiones en que hayas conseguido algo de lo que te sientas orgulloso.
- Piensa en tres ocasiones en que alguien te haya alabado por lo que has hecho.
- ¿Qué información te dan los demás sobre tus aptitudes dentro o fuera de tu trabajo?

---

*«Para encontrar el trabajo que te gusta, descubre cuáles son tus aptitudes, aquello en lo que destacas de forma innata. Determina cuáles son las cosas que te interesan, lo que más te emociona. Si no sabes qué es lo que te interesa, ábrete más a la alegría y al sufrimiento del mundo.»*

LAURENCE BOLDT

## Encuentra tu lugar en el mundo...

Si quieres sentir pasión por lo que haces y triunfar, encontrar tu lugar es una parte muy importante del rompecabezas. Theodor Seuss Geisel —un apreciado escritor y dibujante humorista— es más conocido por su seudónimo de Doctor Seuss. Theodor, para complacer a su padre, que quería que fuera profesor universitario, fue a la Universidad de Oxford cuando se gra-

## PERSONAS CON RECURSOS = PERSONAS AFORTUNADAS

Durante más de diez años el psicólogo Richard Wiseman dirigió un proyecto de investigación sobre la suerte. Estudió a personas que siempre tenían buena o mala suerte en la vida. Durante varios años trabajó con miles de voluntarios, examinó los rasgos de sus personalidades en distintos niveles. Observó que las personas con suerte son más propensas a realizar sus sueños y ambiciones por dos razones:

1. Esperan ser felices y triunfar, consideran que la mala suerte es algo pasajero; perseveran en su afán de materializar sus sueños o metas; y saben transformar la mala suerte en buena suerte.

2. Saben crear y mantener relaciones. Les gusta conocer gente y conectar con las personas; utilizan un lenguaje corporal abierto que a los demás les resulta atractivo y seductor; sonríen y establecen contacto ocular con más frecuencia que las personas que tienen mala suerte; es más probable que inicien conversaciones y sean más eficaces forjando relaciones duraderas; crean una fuerte red de amistades y aumentan sus posibilidades de tener un encuentro afortunado.

duó, en Inglaterra. Sin embargo, como le aburrían sus estudios académicos, decidió hacer un viaje por Europa. Tras su regreso a Estados Unidos, optó por hacer carrera como dibujante humorístico. También trabajó en el mundo de la publicidad para mantenerse él y su esposa durante la Gran Depresión. Durante la Segunda Guerra Mundial trabajó como dibujante de viñetas políticas y, posteriormente, se alistó en el ejército y trabajó en el departamento de propaganda. Después de la guerra empezó a escribir libros para niños, pero no fue hasta 1954, cuando leyó un artículo en la revista *Life* sobre el analfabetismo de los escolares, que se le encendió la bombilla en su interior. El artículo decía que las malas dotes de lectura de los niños se debían a la falta de imaginación de los libros de lectura que había en el mercado. Theodor se propuso escribir un libro educativo que «los niños fueran incapaces de dejar de leer». Le contrataron para escribir e ilustrar un libro para niños usando sólo 225 palabras clave. El resultado nueve meses después fue *El gato en el tejado*. Theodor había encontrado su lugar perfecto en el mundo por su pasión por el humor y por su destreza como escritor y dibujante humorista.

A su muerte, en 1991, más de doscientos millones de copias de sus libros habían llegado a los hogares y los corazones de todo el planeta.

Afortunadamente, el mundo está muy necesitado de pasión y de talento. Esta necesidad no tiene fin. La gente necesita arquitectos e ingenieros para construir, bailarines para bailar, conductores para conducir, médicos y terapeutas para curar, músicos para tocar, profesores para enseñar, escritores para informar e inspirar: si no hubiera esta necesidad en el mundo, no existiría ninguna de estas profesiones. Encontrar tu lugar en el mundo es como encontrar a tu media naranja: con la persona adecuada sientes que has tocado el cielo.

## Encontrar una *Sangha*...

*Sangha,* un concepto del budismo, es una palabra sánscrita que a grandes rasgos significa reunión, compañía o comunidad que tiene una meta, visión o propósito común. Tradicionalmente, el término *Sangha* se refería a la comunidad monástica de los monjes y las monjas ordenados en el budismo. En la actualidad, más bien se interpreta como la comunidad de practicantes budistas. En un sentido más amplio de la palabra, también puede significar un grupo de personas que comparten un conjunto de intereses y valores, una dirección y un propósito.

Es muy importante encontrar una *Sangha* en este sendero de apoyo y aliento mutuo. Natalie, una de mis clientes de coaching, una encantadora y talentosa joven, quería encontrar su «chispa interior». Abandonó sus estudios universitarios porque sabía que no quería una vida profesional con una jornada laboral convencional, pero no se atrevía a admitir lo que realmente quería hacer, ¡que era ser actriz! Así que trabajó como administrativa, vendedora, recepcionista y promotora: lo probó todo y seguía siendo desgraciada. Estaba «de pie en la caja de unos grandes almacenes, aturdida, con los sentidos adormecidos, pensando: "¡Sé que he nacido para hacer algo más!"» Al final no pudo resistirse a la llamada y se matriculó en una escuela de arte dramático para ser actriz. Le pregunté cómo se sentía cuando actuaba, y me respondió: «Cuando estoy en una obra rodeada de actores, se genera una energía creativa que no puedo encontrar en ninguna otra parte. Cuando actúo, me pierdo en el personaje, pero me doy cuenta de que el proceso de descubrir a ese personaje me ayuda a conocerme mejor, a explorar esas emociones internas que no suelen ver la luz. A veces, utilizar emociones y sentimientos que normalmente me asustaría expresar es una experiencia espiritual de limpieza, y ésa es la razón por la que sé que eso es lo que he venido a hacer en la vida. Cuando veo una película, leo un guión, ensayo una escena y me pierdo en el teatro, literalmente brillo».

Para Natalie es importante estar con otros actores que la inspiren y animen a seguir en su carrera como actriz. A los pocos meses de esta conversación me enteré de que se marchaba a Los Ángeles para proseguir con su carrera. Estoy seguro de que allí brillará igual que aquí. A mí me gusta estar con personas creativas; me ayudan a recordar mi propia creatividad. Sea lo que sea lo que te interese, procura relacionarte con personas con intereses y pasiones similares. Si quieres cantar, escucha a otros cantantes. Si tienes vocación de humorista, relaciónate con otros humoristas. Si quieres aprender los fundamentos del marketing por Internet, busca a otras personas que compartan tu interés. Si quieres propiciar tu propia curación o facultades psíquicas, relaciónate con personas que ya lo hayan hecho. En el aspecto práctico, esto te ayudará a desarrollar tus facultades, pero además te servirá para activar tu conocimiento y sabiduría interiores. Si quieres despertar tu empuje y ambición relaciónate con personas que han encontrado el propósito que las motiva. Si quieres ser más valiente, asóciate con personas a las que les gusta decir la verdad.

*«Si uno ya es sabio, lo mejor que te puede suceder es vivir en un círculo de personas que también lo son.»*

C. S. LEWIS

## Por qué buscar una *Sangha*...

En el libro *Escape From Cubicle Nation*, Pamela Slim nos da seis grandes razones para conectar con otras personas.

### Te ahorran tiempo

Cuando necesitas «una idea rápida, una solución o perspectiva», tener un grupo de personas de apoyo te ahorrará tiempo.

### Comparten recursos

Las personas con recursos suelen investigar las ideas y los productos nuevos y buscan formas novedosas de hacer las cosas. A las personas con recursos les encanta compartir estas ideas con los demás. Y cuanto más compartes con los demás, más compartirán éstos sus descubrimientos contigo.

### Te presentan

Una de las grandes formas de conocer personas nuevas es que te las presente otra persona en la que confías. Éstas a su vez pueden presentarte a otras grandes personas. Ésta es una manera de conocer a algunas personas muy interesantes en el mundo.

### Te apoyan

Cuando inicias un proyecto nuevo o intentas hacer realidad tu sueño, te encontrarás con cosas que desconoces. Cuando nos enfrentamos a lo nuevo, es fácil que nos pongamos nerviosos o que tomemos decisiones prematuras.

Estar con personas que tienen las cosas claras y que tienen tacto puede evitar que tomemos decisiones precipitadas que más tarde podríamos lamentar. Pueden ayudarnos a salir del atolladero.

### Corren la voz

Si estás intentando promocionarte en tu profesión, tener los contactos correctos puede ayudarte a encontrar la forma de desarrollar tus aptitudes y talentos. Si vendes un servicio o un producto, la recomendación personal tiene una gran influencia.

### Te hacen reír

Un grupo de amigos y de personas que te apoyan puede ayudarte a no estar tan serio y a reírte más de tus errores y torpezas.

## Crea una *Sangha* virtual...

Una de las ventajas de la Era de la Información Virtual es que hoy en día es muy fácil conectar con otras personas de todo el planeta a través de las redes sociales. Puedes conectar con personas, formar grupos, crear acontecimientos físicos o virtuales y compartir ideas, información o reflexiones sin que haga falta la proximidad física o estar pendientes de la zona horaria.

En la actualidad hay cientos de redes sociales donde elegir. Yo tengo miles de «amigos» a través de las redes sociales, especialmente, en Facebook. Me he dado cuenta de que muchos de estos amigos virtuales también aparecen en este mundo físico. Muchas veces, se me acercan personas que se presentan como amistades de Facebook. Esto es estupendo porque por muy maravillosas que puedan ser estas redes sociales, nada puede sustituir la interacción física «real». Una cosa es chatear y otra muy distinta es hablar en persona. Internet es el medio para iniciar una verdadera amistad, no un sustituto para la misma. Tener unas cuantas personas a las que puedas recurrir para que te ayuden, aconsejen o guíen vale su peso en oro.

## CREA UNA *SANGHA* VIRTUAL

Páginas web que puedes visitar:

- Blogger: para *blogs*.
- Facebook: para amistades y contactos.
- Flickr: para compartir fotos.
- Flixster: para compartir comentarios de películas, clasificaciones y clips.
- LinkedIn: red para temas profesionales.
- Lulu: para autopublicaciones.
- MeetUp: para actividades y grupos en tu zona.
- MySpace: para compartir música.
- Twitter: para compartir pensamientos.
- YouTube: para compartir videoclips.

Puedes encontrar fácilmente todas estas páginas web buscándolas en Google.

## Pide una opinión...

Una de las ventajas de tener una *Sangha* es que si no estás seguro de que tus dones y pasiones encajen en el mundo puedes pedir una opinión. Pedir una opinión es necesario porque con frecuencia otras personas pueden ver mejor nuestros dones y talentos que nosotros mismos. No siempre sabemos cuándo o por qué es valorado nuestro trabajo. No siempre sabemos por qué funcionan bien las cosas o cómo podemos mejorar nuestro rendimiento. Las opiniones constructivas pueden ayudarte a improvisar y a crecer, a aprender nuevas habilidades e identificar errores para que puedas evitarlos en el futuro.

Las opiniones constructivas suelen ser claras, sinceras y tener un objetivo. Su finalidad es ofrecer soluciones a los retos y problemas, y si las opiniones se dan adecuadamente, también pueden generar relaciones sanas entre compañeros y entre jefes y subordinados. Las opiniones también pueden ser útiles cuando estamos pensando en realizar un nuevo proyecto o montar un negocio. En 1998, tres compañeros de universidad tuvieron la idea de hacer batidos de frutas naturales. Habían creado unas cuantas recetas, pero no se atrevían a dejar sus trabajos fijos. Decidieron poner una paradita en un pequeño festival de música en Londres, y pusieron un cartel que decía: «¿Pensáis que deberíamos dejar nuestros trabajos para dedicarnos a hacer estos batidos?» Pusieron un cubo con un letrero que ponía «Sí» y otro con un letrero que ponía «No», y les pidieron a los clientes que usaran las botellas vacías para votar. Al final del festival el cubo del «Sí» estaba lleno, así que dejaron sus trabajos. Innocent Drinks es una compañía que actualmente posee el 70 por ciento del mercado de los batidos en el Reino Unido, está valorada en casi 170 millones de libras esterlinas.

## EJERCICIO

### Pide una opinión

En general, no conocemos nuestras cualidades, habilidades y aptitudes, por eso es tan importante preguntar a otras personas su opinión.

- Pide a tu pareja/cónyuge su opinión respecto a tus cualidades, habilidades y aptitudes personales.
- Pide a tres amigos íntimos su opinión respecto a tus cualidades, habilidades y aptitudes personales.
- Pide a tres compañeros de trabajo su opinión respecto a tus cualidades, habilidades y aptitudes personales.

## Declaración de intenciones

1. Estoy dispuesto a presenciar y a transformar todo el sufrimiento que surge en mi trabajo. Estoy dispuesto a liberarme de la limitación de todos mis condicionamientos, creencias, suposiciones, pactos inconscientes, obligaciones, dramas, de la actitud de perseguidor, salvador o víctima que me bloquean.
2. Estoy dispuesto a ser más auténtico, estar más presente, ser más consciente en mi vida y en mi trabajo. Estoy dispuesto a dejar de confiar excesivamente en vivir con el piloto automático. Estoy dispuesto a ser totalmente yo mismo.
3. Estoy dispuesto a transformar mi actitud y mi perspectiva en mi trabajo. Estoy dispuesto a afrontar todos mis temores sobre el presente y el futuro. Estoy dispuesto a ver un futuro brillante, expansivo, incitante y esperanzador abriéndose ante mí.
4. Estoy dispuesto a reconocer que mi tiempo en la Tierra es limitado. Estoy dispuesto a reconocer que mi tiempo es muy valioso. Estoy dispuesto a utilizar mejor mi tiempo.
5. Estoy dispuesto a aceptar la totalidad de mis dones, recursos, aptitudes y talentos. Estoy dispuesto a utilizar mi intelecto con mi imaginación y mi intuición. Estoy dispuesto a desarrollar mis aptitudes. Estoy dispuesto a encontrar mi lugar en el mundo. Estoy dispuesto a escuchar la información que recibo y a utilizarla correctamente.
6. Estoy dispuesto a divertirme, a estar de buen humor, a reírme y al juego creativo en mi trabajo. Estoy dispuesto a no tomarme tan en serio.
7. Estoy dispuesto a divertirme, a jugar y a que entren en mi vida personas positivas. Estoy dispuesto a abrirme y a conectar de verdad con otros exploradores y pioneros de los campos que he elegido.
8. Estoy dispuesto a que mi trabajo sea una historia de amor. Estoy dispuesto a descubrir mis verdaderos principios. Estoy dispuesto a que el entusiasmo y la alegría entren en mi trabajo. Estoy dispuesto a disfrutar con lo que hago. Estoy dispuesto a que se me revele cuál

va a ser el trabajo de mi vida. Estoy dispuesto a soñar con mi trabajo hasta que se haga realidad.

9. Estoy dispuesto a fluir como el agua en vez de luchar. Estoy dispuesto a actuar sin esfuerzo de acuerdo con mis verdaderos principios. Estoy dispuesto a estar en el lugar correcto en el momento correcto. Estoy dispuesto a que mi trabajo se desarrolle con facilidad y gracia. Estoy dispuesto a trabajar con más dicha si cabe.
10. Estoy dispuesto a emprender este viaje y encontrar mi propio camino. Estoy dispuesto a confiar en mi guía interior y a terminar este viaje, dondequiera que me lleve.

# 8

# Utiliza tu intuición

«Tu trabajo es descubrir tu trabajo
y luego entregarte a él con todo tu corazón.»

El Buda

La película *Revolutionary Road* trata sobre una pareja trabajadora de mediados de la década de 1950. Frank Wheeler (Leonardo DiCaprio) y April Wheeler (Kate Winslet) llevan siete años casados. Su vida aparentemente es perfecta. Viven en las afueras de Connecticut con sus dos hijos pequeños. Frank va a trabajar todos los días a un despacho a Nueva York, April es ama de casa. Pero tras esa idílica fachada no son felices. April ha renunciado a su sueño y Frank no es feliz en su trabajo.

## Utiliza todo tu cerebro...

Estamos diseñados para utilizar todo nuestro cerebro. Pero no es así cómo nos han enseñado a usarlo. Cuando utilizamos todo nuestro cerebro, tenemos más acceso a nuestros recursos. No obstante, puesto que se nos ha enseñado a utilizar más el hemisferio izquierdo, eso genera un estado de asimetría, y esto, en cierto modo, nos limitará e impedirá que fluyamos plenamente hacia un nuevo paradigma laboral.

Tenemos un don impresionante, un cerebro con un neocórtex partido por la mitad, un hemisferio izquierdo y un hemisferio derecho. Ambas partes están interconectadas por un grueso tronco de nervios en la base de cada uno de los hemisferios. Los experimentos han demostrado que cada uno de estos hemisferios cerebrales es responsable de diferentes tipos de pensamiento. El hemisferio izquierdo es más lógico, secuencial, racional, analítico y objetivo. El hemisferio derecho es más espontáneo, intuitivo, holístico, subjetivo, y con capacidad de síntesis. Le interesa más la visión global que los detalles. El hemisferio izquierdo nos permite ser prácticos, crear estrategias, concentrarnos, planificar, analizar, estructurar, comprender y diseñar. El hemisferio derecho nos permite imaginar, soñar, fantasear, atrevernos, sentir e intuir.

Si la mente racional es la analista, la intuitiva es la sintetizadora. Crea la imagen global de todos los pequeños detalles. Nos hace receptivos a ese flash de intuición repentino que nos lo aclara todo. Cuando somos capaces de analizar *y* de sintetizar, somos pensadores íntegro-cerebrales. La mayoría de los genios de la historia eran pensadores íntegro-cerebrales. Por ejemplo, el artista Pablo Picasso trabajó en un campo dominado por el hemisferio derecho, sin embargo, demostró tener grandes dotes de pensamiento del hemisferio izquierdo que quedaron reflejadas en sus múltiples notas sobre la combinación específica de los colores que usaba en sus creaciones. Luego tenemos a Albert Einstein, un maravilloso pensador íntegro-cerebral que creó su teoría de la relatividad gracias a una ensoñación diurna. Lewis Carroll, autor de *Alicia en el país de las maravillas*, diácono anglicano y profesor universitario. Quizás el más famoso de los pensadores íntegro-cerebrales sea Leonardo da Vinci, pintor —autor de la *Mona Lisa* y de *La última cena*— y también científico e ingeniero. Sus estudios abarcaban una inmensa gama de materias e inquietudes, desde composiciones para cuadros, estudios de rostros y emociones, hasta arquitectura, máquinas y helicópteros.

En la actualidad, es difícil encontrar pensadores integrales porque nos enseñan a pensar con el hemisferio izquierdo. Nos han educado de este modo porque prácticamente en los dos últimos siglos el grueso del trabajo ha sido para personas en las que domina el hemisferio izquierdo. Los trabajos relacionados con la administración, la ingeniería, la informática, la abogacía, la medicina, la dirección de proyectos y la enseñanza se basan principalmente en la planificación detallada y en los cálculos del hemisferio izquierdo. Lo más importante es que suelen estar mucho mejor remunerados que los trabajos creativos del hemisferio derecho como actuar, cantar, interpretar música y escribir; a excepción de ese 1 por ciento que está en la cima.

La Era Industrial contribuyó a modelar el sistema educativo moderno. Durante años, la educación se ha basado en aprender información a base de repetirla, en exámenes presenciales y en que el profesor fuera el dispensador de conocimiento. Con la revolución virtual, el sistema educativo se ha visto obligado a adaptarse y a centrarse más en los alumnos. Aun así, todavía se basa principalmente en desarrollar el hemisferio izquierdo (el lógico). Esto no es lo ideal, puesto que estamos usando sólo la mitad de nuestro cerebro. Por ejemplo, un ingeniero de *software* que utilice más el hemisferio izquierdo puede diseñar una página web, pero no será muy creativo. Un director en el que domine el hemisferio izquierdo podrá crear una visión para la compañía, pero el resultado no será muy inspirador. Un arquitecto en quien domine el hemisferio izquierdo podrá diseñar un edificio muy funcional, quizá basándose en diseños que antes eran bien recibidos, pero al resultado final le faltará imaginación o innovación.

Por supuesto, no se trata de que sólo seamos derecho-hemisféricos. Algunas personas se resisten a las doctrinas del sistema educativo rebelándose y pasándose al otro extremo. El problema es que, si en ti domina el hemisferio derecho y apenas desarrollas el izquierdo, en el mejor de los casos serás creativo, imaginativo, soñador, y en el peor serás un fanático. Sea como fuere, podrás tener muchas ideas, pero pocas las pondrás en práctica. Necesitamos los dos hemisferios del cerebro para ser personas íntegras cuyos dos hemisferios trabajen en sinergia.

## La intuición del hemisferio derecho...

En el hemisferio derecho hay grandes tesoros: tesoros como la creatividad, la imaginación y la intuición. Según la definición del diccionario, *intuición* es «la facultad de comprender las cosas instantáneamente, sin necesidad de razonamiento». Procede de una palabra latina que significa «ver dentro». La intuición es una facultad que ha sido muy valorada durante miles de años.

Los videntes y los médiums han existido desde los albores de la humanidad y han usado sus poderes intuitivos para ayudar a los demás. Desde el vidente bíblico José que interpretó los sueños del faraón egipcio, hasta las sacerdotisas de Delfos en la antigua Grecia que transmitían la voluntad de los dioses, los chamanes modernos, tarotistas y místicos famosos como Edgar Cayce.

Durante miles de años, los chamanes y las sacerdotisas han utilizado su intuición y habilidades psíquicas para ayudar a sus comunidades. Muchas veces de sus premoniciones dependían la vida o la muerte. Si eras un curandero o una curandera de una tribu y no podías adivinar dónde estaba la fuente de alimento más próxima para los tuyos, éstos se morían de hambre y tú te quedabas sin trabajo. Si eras un curandero y no podías curar a una persona, tu reputación se veía afectada, y si sucedía eso muy a menudo, te quedabas sin trabajo.

Aunque hoy en día la intuición no se valore demasiado, sigue actuando en muchos aspectos diferentes del trabajo; aunque la mayoría de las personas no lo llaman intuición. Por ejemplo, la mayor parte de la gente no compra de forma racional. Puede que necesites un par de zapatos, pero cuando vas a comprar lo haces por sentimiento, no por lógica. Cuando el producto cumple todos los requisitos y te parece bien, entonces se materializa la compra.

La intuición es un sentimiento, pero es más que eso. Tu intuición te permite conocer información que no puedes adquirir por deducción u observación, razonamiento o experiencia. La intuición es tu forma directa de sentir la verdad de tu realidad. La intuición puede guiarte de formas que no puede hacerlo tu mente racional. Puede ayudarte a resolver problemas y tomar decisiones de formas para las que tu mente racional no está diseñada. Somos intuitivos por naturaleza. Las investigaciones de la Universidad de Yale han demostrado que el desarrollo de la intuición en los niños empieza muy pronto. ¡Descubrieron que a los seis meses un niño puede evaluar las intenciones de una persona y saber si puede ser un amigo o un enemigo!

April ha renunciado a su sueño de ser actriz, y aunque Frank odia su trabajo, no sabe qué hacer con su vida. Un día, April tiene una inspiración y le sugiere que se vayan a París. Ella ha calculado que entre sus ahorros y la venta de la casa tendrían para vivir en París seis meses sin trabajar. Esto le daría tiempo a Frank para reflexionar sobre lo que realmente desea hacer con su vida. Él, finalmente, acepta la idea y vuelven a estar vivos y a enamorarse. Pero los acontecimientos amenazan su sueño. A Frank le ofrecen un buen ascenso y April descubre que está embarazada. Frank cambia de idea respecto a su sueño y empieza a escuchar a su cabeza, en vez de escuchar a su corazón. Esto tendrá fatales consecuencias.

## Lo que bloquea tu intuición...

Nos han enseñado a reprimir nuestros impulsos intuitivos; es probable que las personas pudieran ser mucho más intuitivas antes de la Era Industrial. Vivir en contacto con la tierra en comunidades cuyos individuos se respaldan entre ellos debía de propiciar más esta facultad que trabajar durante largas horas en una fábrica.

Actualmente, trabajamos menos horas y tenemos más tiempo libre, aunque esto no necesariamente nos hace más intuitivos. Con distracciones como la televisión, Internet, los videojuegos, ir de compras, el alcohol, etc., es difícil ser intuitivo cuando nuestras mentes están atestadas de *tweets*, textos y correos electrónicos. La intuición no actúa a través de los negocios, sino a través de la relajación y de la quietud interior. La mente tiene que estar clara, como un tranquilo lago de montaña, para que surja la intuición. Es difícil ser intuitivo cuando la mente está bajo un bombardeo constante de las malas noticias que transmiten los medios. Si quieres saber cómo ser más intuitivo, una forma de hacerlo es apagar la televisión y reducir y filtrar la información que entra en tu cerebro. Hay un refrán muy sabio que reza: «Basura que entra, basura que sale». Hagamos caso de la sabiduría popular.

Aparte de estar demasiado ocupados o distraídos para desarrollar nuestra intuición, sencillamente no sabemos qué es o qué hacer para desarrollarla. Nos han enseñado a desconfiar de ella. Esta desconfianza queda ensalzada en la película *Revolutionary Road*. Podríamos decir que April interpreta el papel de la mente intuitiva y que Frank interpreta el de la mente racional. Y como mente racional se asustó con las ideas de la mente intuitiva y la bloqueó. Esto condujo a la represión emocional y al cierre dentro del matrimonio. Así es como muchas personas se relacionan con la intuición, dentro y fuera. Albert Einstein dijo: «La mente intuitiva es un don sagrado y la mente racional es su fiel servidora. Hemos creado una sociedad que honra al sirviente y que se ha olvidado del don».

En parte, Frank Wheeler se estaba enfrentando a una época de roles de género establecidos. Eran tiempos en que prevalecían los estereotipos sexistas, como el de que los hombres siempre son racionales y las mujeres siempre son sensibles e irracionales. Este mito se ha venido reforzando durante siglos. Tradicionalmente, las mujeres han desempeñado roles relacionados con la crianza y con la familia. Estos papeles requieren empatía, creatividad y sensibilidad. Los roles tradicionales de los hombres han exigido distintas aptitudes y habilidades. Aunque se les ha educado culturalmente para confiar menos en la intuición, también han hallado su propio camino hacia la misma. Los hombres acceden a la intuición a través de la actividad física, el deporte, la guerra y el mundo de los negocios. Para demostrar esto, Paul Van Riper, teniente general de la Infantería de Marina de Estados Unidos, realizó un interesante experimento. En 1995 el general llevó a sus marines al edificio de la Bolsa de Nueva York, porque sus abarrotadas y agobiantes estaciones de trabajo le recordaban a los centros de mando durante el combate. Como cabía esperar, los marines se bloquearon y fueron incapaces de tomar las decisiones que tomaban los agentes de bolsa. Pero cuando se invirtió la situación y el general llevó a los agentes de bolsa a la base de los marines a jugar a simulacros de guerra, ¡para su sorpresa los agentes de bolsa volvieron a derrotar a los marines! Los agentes eran mejores "pensadores intuitivos", y tenían más práctica en evaluar rápidamente los riesgos y en actuar con decisión con información imperfecta o contradictoria. Curiosamente, la doctrina oficial de la Infantería de Marina reza: «La visión intuitiva es más apropiada para [tomar] las decisiones en condiciones de guerra fluidas y rápidamente cambiantes, en momentos en que el tiempo y la incertidumbre son factores críticos, y la creatividad es una cualidad deseable». ¡Bueno, ahí está!

Si no estamos en un entorno favorable, nos bloquearemos al usar nuestra intuición del hemisferio derecho. En el deporte hay cierta permisividad para la intuición, pero en muchos entornos laborales no. Si eres una persona derecho-hemisférica y desempeñas un trabajo izquierdo-hemisférico, tendrás problemas. He conocido a muchas personas que tienen un trabajo que no encaja con su temperamento. Por ejemplo, Jane se sintió atraída por el periodismo cuando terminó sus estudios. Lo hizo porque su madre pensó que sería «divertido y estimulante». Consiguió un trabajo y cambió su vida por completo. La hija intuitiva, sensible y derecho-hemisférica de un granjero se encontró en un mundo cerebral, político, izquierdo-hemisférico y urbano: «Todo lo que yo no era». Jane se lo tomaba como una formación, pero no precisamente la que ella deseaba. Tras conseguir su categoría de periodista, decidió ir a la universidad y estudiar psicología; y cuando finalizó sus estudios, seguía con la «sensación de que le faltaba algo». Haber aprendido sobre experimentos realizados con ratas no había respondido a sus profundas preguntas metafísicas sobre la vida. Había estudiado una mezcla de psicología freudiana, cognitiva, conductista y humanista, pero lo que realmente le interesaba era la psicología transpersonal. Su viaje la llevó a través de varios trabajos al mundo de la salud, la sanación, el potencial humano y la conciencia. Entre ellos, el trabajar con un científico investigando el sexto sentido; dirigir un instituto de formación junguiana y hacer de relaciones públicas en un centro de medicina natural. Posteriormente, también se formó en la psicología de la energía que le proporcionó el vínculo que estaba buscando entre la mente, el cuerpo y el espíritu y cómo trabajar de una forma práctica con los tres. Jane me dijo: «No ha sido un viaje fácil, pero me está aportando un conocimiento de mí misma a un nivel mucho más profundo de lo que hubiera podido conseguir en cualquier otra vía profesional».

Otro gran problema para algunas personas es que tienen poca conciencia de sí mismas y no reconocen la diferencia entre intuición y diálogo interno. Los medios de comunicación destilan tanto miedo que pueden llegar a interpretarlo y a presentarlo como intuición. Cuando no podemos diferenciar entre miedo e intuición, no podemos confiar en ello. Si escuchamos la voz del miedo, pero creemos que nos está guiando nuestra intuición, el resultado será malo o desastroso. Nuestra intuición se confunde con la voz del miedo cuando albergamos creencias temibles sobre el mundo. Cuando creemos que el mundo no es seguro y que no estamos a salvo, buscamos nuestra intuición para protegernos. Éste es un mal uso de la intuición. Incluso aunque funcione sólo nos servirá para convertirnos en unos paranoicos. Conocí a una mujer muy intuitiva que dirigía una organización que enseñaba desarrollo psíquico y daba clases sobre intuición. Por desgracia, era una persona muy miedosa y utilizaba su intuición para identificar a las personas en las que «sabía» que no podía confiar. Esto generó una atmósfera de descon-

## LA DIFERENCIA ENTRE EL MIEDO Y LA INTUICIÓN

La voz del miedo te dice que te mantengas a salvo, la voz de tu intuición te dice que te abras y crezcas. Tu intuición puede que te diga que seas precavido en ciertas circunstancias, pero nunca te incitará a tener miedo. Tu intuición te pide que avances hacia el resultado deseado, aunque te conduzca hacia él de formas inesperadas. Tu intuición tendrá un efecto tranquilizador y reafirmante. Cuando sigues tu intuición, ésta se hace más fuerte.

fianza y conflicto a su alrededor. A diferencia de la voz del miedo, nuestra intuición se centra en el corazón, y dejarte guiar por ella te conducirá a sentir más fuerza, más alegría, más inspiración y más optimismo. La voz del miedo te dice que encuentres un trabajo con el que ganes mucho dinero, mientras que la de tu intuición te dice que encuentres un trabajo que te guste. La voz del miedo te dice que te conectes para buscar personas que te puedan servir, mientras que la voz de tu intuición te dice que te conectes para encontrar personas con las que te gustaría colaborar.

## La intuición funciona con corazonadas...

Malcom Gladwell, en su libro *Blink: el poder de pensar sin pensar*, escribe sobre una antigua estatua de mármol que compró el Museo Getty de California en 1983. Se trataba de un kurós o la estatua de un joven desnudo con una pierna adelantada y los brazos colgando. Sólo hay unas doscientas, y la mayoría han sido recuperadas, dañadas o fragmentadas. Antes de comprar la pieza por diez millones de dólares, el museo realizó una serie de pruebas científicas, que confirmaron su autenticidad. Sin embargo, resultó ser falsa. Federico Zert, un historiador de arte, fue el primero en darse cuenta de que algo no encajaba, aunque no podía decir por qué. Evelyn Harrison, una experta mundial en escultura griega, también tuvo la corazonada de que algo no cuadraba. Tomas Hoving, el anterior director del Museo de Arte Metropolitano de Nueva York, recordó que la primera palabra que le vino a la mente cuando vio la estatua fue «reciente». Todos los expertos habían tenido la intuición de que algo no era correcto, basándose sólo en la poca información que tenían cuando vieron la estatua por primera vez. Gladwell lo denomina «cortar en rodajas finas», el arte de llegar a «conclusiones utilizables» basadas en «información limitada». ¡Otra forma de decir «utiliza tu intuición»!

Según Gay Hendricks y Kate Ludeman, autores de *La nueva mística empresarial: los triunfadores del mañana en el mundo de los negocios*, los mejores empresarios son personas muy intuitivas y muchos de ellos practican formas no dogmáticas de espiritualidad. Del mismo modo, la intuición sigue viva en los entornos laborales, pues Daniel H. Pink, autor de *Una nueva mente*, dice:

> Mientras apretábamos la nariz contra la rueda de molino, sucedió algo curioso: el mundo cambió. El futuro ya no pertenece a las personas que pueden razonar con una lógica, velocidad y precisión propia de un ordenador. Pertenece a otro tipo de personas, con un tipo de mente diferente. Hoy en día —en medio de la incertidumbre de una economía que ha ido desde el alza, hasta el descalabro y el hundimiento— hay una metáfora que explica lo que está sucediendo. Y está dentro de nuestras cabezas. En un mundo que funciona con subcontratas, inundado de información, asfixiado por las opciones, las habilidades más importantes son las más próximas en espíritu a las especialidades del hemisferio derecho: arte, empatía, tener una visión global y perseguir la trascendencia.

Tal como dice Daniel, en el Occidente desarrollado se están perdiendo muchos puestos de trabajo debido a las subcontratas en el Oriente en vías de desarrollo. Muchos trabajadores del conocimiento relativamente baratos disponen de la Red para vender sus servicios, y se están perdiendo muchos trabajos: principalmente, los izquierdo-hemisféricos, como programación de ordenadores, contabilidad, investigaciones legales y análisis financieros. Estos trabajos están emigrando al otro lado del océano, donde se pueden hacer por salarios menores. En el clima económico actual hemos de potenciar otras facultades. Aguzar más el hemisferio izquierdo ya no nos va a servir.

En este mundo cambiante, la intuición es vital. La intuición puede ayudarte en tu vida y en tu profesión a tomar decisiones, aunque no tengas todos los hechos, y podrá ayudarte cuando el camino que tienes por delante no esté claro. La intuición te puede enseñar la forma correcta de proceder; puede ayudarte a resolver problemas con más facilidad, a encontrar oportunidades, a conectar con las personas adecuadas, a actuar en el momento adecuado y, por último, a encontrar o a crear el trabajo que te gusta. Estoy seguro de que estarás de acuerdo conmigo en que son razones de bastante peso para tomarte la intuición más en serio. Nuestra intuición actúa en muchos niveles distintos. Estos niveles no están completamente separados; todos están conectados y trabajan en sinergia, del mismo modo que una naranja es una fruta compuesta de muchas partes: la piel, el zumo, la semilla, etcétera.

## Física

Es la intuición que se nota como una «sensación visceral», una sensación física, como algo que te recorre la columna, como mariposas en el estómago, como una sensación de ligereza o de pesadez. Aquí es cuando sentimos el peligro antes de que podamos verlo. ¿Has entrado alguna vez en algún sitio y te has sentido estupendamente o fatal sin razón aparente? Rupert Sheldrake, biólogo y autor de diez libros, también ha estudiado la intuición. En su libro *El séptimo sentido*, investiga cómo sabemos instintivamente que nos están mirando, incluso aunque no podamos ver a quien nos mira. Esta facultad podía suponer la vida o la muerte para nuestros antepasados nómadas cazadores. Es la intuición física.

## Emocional

Es la primera impresión de «agrado o desagrado»: sentir la vibración de una persona. ¿Has sentido alguna vez intuitivamente la necesidad de no verte involucrado en ciertas situaciones o con ciertas personas? ¿Has conocido alguna vez a algún extraño y te has sentido bien porque tenía buena vibración? Ésta es la intuición emocional.

## Mental

Se trata de una inspiración, intuición repentina, pensamiento que no sabes de dónde viene, solución a un problema, respuesta a una pregunta. ¿Te ha sucedido alguna vez que estabas pensando en una persona y al poco rato te ha telefoneado? La intuición mental llega a través de canales visuales o auditivos: como imágenes o palabras en el interior de la mente. Es también el ámbito de la premonición a través de los sueños. Los artistas, escritores, inventores, matemáticos y científicos pueden acceder a este nivel de intuición.

### Espiritual

Es una forma de intuición trascendental. El filósofo Spinoza pensaba que la intuición unía a la mente con la consciencia superior que revelaba el orden subyacente del universo. El Buda bajo el árbol de la Bodhi recibió las Cuatro Nobles Verdades gracias a una intuición espiritual. Este tipo de intuición revela introspección y verdad espiritual; la experimentan los buscadores espirituales, los chamanes y los místicos.

## La intuición a través del cuerpo...

Tenemos diferentes niveles de intuición y el mejor lugar para empezar es con el físico. La mayoría de las intuiciones se manifiestan en primer lugar como sensaciones físicas. Estas sensaciones también pueden ayudar a que se abran otros niveles. Por esta razón, es importante que te alejes de una actitud intelectual y que te centres más en la visión visceral. Normalmente, la intuición no te hablará directamente a través de tu imaginación o de tus pensamientos, al menos no en las primeras etapas de su despertar; llegará a través de sensaciones corporales. Puede que notes una sensación visceral o una expansión en tu pecho o que te sientas más ligero o excitado cuando te habla tu intuición. El problema es que si no estás conectado con tu cuerpo, no tendrás forma de sentir este nivel de tu intuición. ¡Así que quizá vaya siendo hora de que salgas de tu cabeza y te metas en tu cuerpo!

## Intuición, intención e imaginación...

Cuando hayas empezado a practicar el uso de tu intuición, podrás empezar a emplearla de maneras útiles. Pero antes de conseguirlo es necesario que tengas claro lo que deseas. Puede tratarse de elegir entre diferentes opciones, resolver un problema o una meta específica. Puedes usarla para darle una orientación a tu carrera, pero si le pides a tu intuición que te ayude a conseguir un trabajo nuevo sin tener ni idea de lo que deseas o de lo que estás buscando, no le estarás dando mucho con que trabajar. No tienes por qué saber cómo trabaja, pero vale la pena conocer lo básico. Saber que quieres más creatividad, libertad o autonomía es una forma de darle una dirección a tu intuición.

## EJERCICIO

### Entra en tu cuerpo

1. **Relajación.** La relajación es un estado inicial importante para conectar con tu intuición. Haz algún ejercicio sencillo que te ayude a relajarte como yoga o taichi.
2. **Respiración.** Sé consciente de la respiración. Al respirar toma conciencia de las zonas de tu cuerpo donde acumulas tensión y las zonas que están relajadas.
3. **Sentimientos.** Practica estar conectado contigo mismo. Observa los distintos sentimientos que tienes durante el día. Los sentimientos surgen en diferentes partes del cuerpo. Observa en qué partes de tu cuerpo tienes estos sentimientos-sensaciones.
4. **Sensaciones.** Empieza a observar todas las sensaciones, pero especialmente la del tacto. Practica tocar cosas diferentes —telas, objetos— y observa lo que sientes. Observa las sensaciones agradables y desagradables.
5. **Decisión.** Tanto si has de tomar una decisión, como si has de actuar, esperar o ir a la izquierda o a la derecha, sintoniza con cada posibilidad durante unos minutos y observa cómo reacciona tu cuerpo ante cada opción. Observa si sientes que te expandes o que te contraes, si estás pesado o ligero, si tienes calor o frío, como respuesta a cada opción.

Anne organiza y diseña ceremonias nupciales a medida. Su trabajo abarca desde grandes eventos religiosos hasta acontecimientos familiares más íntimos. Parte de su trabajo implica organizar y escribir los guiones de la ceremonia. Tiene muy claro que confía en su intuición. «Confío en mi intuición para que me guíe en lo que escribo. Cuanto más confío en mi intuición, generalmente, mejores son los resultados. Pero he de tener claro desde un principio cuál es mi objetivo. Desde el primer momento todo el proceso se basa en la confianza. He de adoptar una actitud objetiva y no permitir que interfieran mis ideas en los "resultados". Todo se reduce a la preparación y a la intención. Cuando todo está en orden, me siento y enseguida me empiezan a fluir las palabras, no sé de dónde. Es como si no fuera "yo" quien las escribiera. Este trabajo es una bendición. Es muy importante decidir comprometerse a amar a otra persona durante el resto de tus días», me dijo.

Tu intuición es como un perro que quiere coger un palo. Necesita una dirección, necesita un palo. Linda desarrolló una extraña pasión: le interesaban los criminales. Aunque era una afición inusual, su padre la animó para que hiciera lo que le dictaba el corazón. Fue a la universidad y se licenció en criminología. Luego se introdujo en el mercado laboral. Con su intuición y su razonamiento, pudo encontrar algunos trabajos interesantes. También rechazó algunos buenos trabajos. Lo que buscaba era un trabajo donde pudiera desarrollar su pasión. Por ejemplo, en una ocasión le ofrecieron trabajar en el departamento de prevención del fraude de un importante banco. Aunque era un trabajo bien pagado, se imaginó trabajando allí y lo rechazó: sintió que el trabajo no sería lo suficientemente «jugoso».

La intuición puede ayudarnos de muchas formas diferentes, no sólo a buscar trabajo. También puede ser útil para adelantar proyectos. Por ejemplo, hacía un año o más, yo sabía que quería escribir otro libro, pero no estaba muy seguro del tema. En enero de 2010, ¡tuve un sueño que me inspiró el tema, el título y el contenido en general! Salté de la cama y me puse a escribir esa misma mañana. ¡Y *voilà*, aquí está el producto terminado!

La intuición posee muchas aplicaciones prácticas. Por ejemplo, la increíble Fundación Findhorn, cerca de Inverness, en Escocia, es un producto de la intuición. Todo empezó cuando Peter y Eileen Caddy y Dorothy Maclean llegaron al nordeste de Escocia en 1957 para dirigir el Cluny Hill Hotel, en la ciudad de Forres. Realizaron dicha labor con mucho éxito gracias a la gran ayuda de Eileen, quien a través de sus meditaciones recibía consejos de una fuente divina interior a la que ella llamaba «la tranquila vocecita interior». Peter dirigía el hotel siguiendo las instrucciones de Eileen. De esta forma tan poco ortodoxa, el Cluny Hill pronto se convirtió en un próspero y famoso hotel de cuatro estrellas. No obstante, al cabo de unos años, Peter y Eileen se quedaron sin empleo, sin lugar a donde ir y con poco dinero, se fueron con sus tres hijos y Dorothy a vivir en una caravana, en el cercano pueblo marinero de Findhorn. Alimentar a tanta gente con el subsidio de desempleo no era fácil, así que Peter decidió cultivar sus propias verduras. La tierra de la parcela de la caravana era arenosa y seca, pero él perseveró. Dorothy empezó a recibir consejos específicos para sacar el máximo partido al huerto. Siguiendo estos consejos —a pesar de la yerma tierra arenosa del Findhorn Bay Caravan Park—, cultivaron enormes plantas, hierbas y flores de diversas variedades. Se corrió la voz, llegaron expertos en horticultura y se quedaron atónitos, y el huerto de Findhorn se hizo famoso.

Como puedes ver, la intuición tiene muchas aplicaciones prácticas, desde crear un próspero negocio hasta cultivar un huerto excepcional o encontrar soluciones para los problemas cotidianos. La mente consciente puede resolver problemas, pero hay momentos en que es mejor confiar en la intuición. Esto es lo que suele suceder cuando se trata de un problema complejo y que excede la capacidad de razonamiento de la mente consciente. En una ocasión, Jenny tuvo un problema de turnos en el trabajo que aparentemente era muy difícil de resolver. Su mente consciente, al no ser demasiado matemática, se estaba cansando del problema: según parece, había muchos factores implicados. Al final decidió dejárselo a la intuición e irse a dormir con ello en la cabeza. Para su sorpresa, a la mañana siguiente se despertó con la respuesta clara. La anotó enseguida y se olvidó de ello, y esa misma mañana empezó a sopesarla para ver si realmente era una buena solución. La solución parecía buena, pronto la puso en práctica y verdaderamente funcionó. Aunque dejó ese trabajo hace muchos años, las últimas noticias que tuvo del mismo es que todavía utilizaban su sistema de turnos.

## EJERCICIO 1

### Confía en tus primeras impresiones

- Presta atención a tus primeras impresiones cuando vayas a algún sitio por primera vez, conozcas a una persona o te plantees otras opciones diferentes, y escríbelas.
- Ejercita tu facultad del presentimiento y adivina qué pasará en la siguiente escena de una película, quién te llamará hoy, qué es lo que te va a decir un amigo, quién ganará el partido, etc.
- Escribe una pregunta y luego la primera respuesta que te venga a la cabeza. Deja a un lado el papel durante un día o más, y vuelve a revisar tus respuestas.
- Pide que te guíen y permanece receptivo a la respuesta que se presente en tus sueños o a través de una conversación fortuita.
- No intentes «forzar» tu intuición, sólo confía en que se producirá. Aprende a reconocer el momento «¡Ajá!», cuando te esté hablando tu intuición.

## EJERCICIO 2

### Intuición y nuevas posibilidades

En este ejercicio vas a usar los dos hemisferios cerebrales para encontrar nuevas posibilidades en tu trabajo. Necesitarás al menos a otra persona para jugar a este juego, pero lo ideal sería que encontraras a dos más.

1. En un folio de tamaño grande dibuja tres círculos entrelazados: lo que se conoce como el diagrama de Venn. En un círculo escribe «sueños», en otro «pasiones» y en otro «valores». Luego dedica 20 minutos a escribir todo lo que se te ocurra en cada círculo que esté relacionado con su categoría.
2. Elige un tema al azar de cada uno de los círculos y ponlos juntos; bien, ahora ya tienes un sueño, una pasión y un valor.
3. Les toca a los otros dos jugadores. Su misión en el juego es dar con todos los trabajos posibles que puedan coincidir con el sueño, la pasión y el valor de esa persona. Anímales a que sean prácticos, imaginativos y valientes. Lo más importante es que os divirtáis.
4. Revisa tu lista de posibles trabajos. ¿Te parecen atractivos? ¿Son totalmente fortuitos? ¿Te ves desempeñando algunos de ellos? Si no es así, ¿por qué no? Enumera tus razones.
5. Ahora le toca a la siguiente persona.

## EJERCICIO 3

### Intuición y resolución de problemas

1. **Define.** Define el problema que quieres resolver y el resultado que te gustaría alcanzar. Cuanto más específico seas, tanto mejor.
2. **Reúne.** Utiliza tu mente racional y reúne las piezas del rompecabezas, todas las piezas importantes de información. Sin embargo, no intentes utilizar tu mente racional para hallar la respuesta.
3. **Juega.** Juega con todas las piezas del rompecabezas, y familiarízate con ellas para resolverlo. Pero no se trata de resolver, sino de jugar. Familiarízate con todos los aspectos.
4. **Abre.** Esta parte implica que confíes en tu intuición para hallar la respuesta. Espera una respuesta. Para hacer esto, deja a un lado las piezas y que tu intuición te transmita los mensajes. Pueden llegar a través de una idea o de un sueño, o a través de un libro o de una conversación que te señale el camino. Recuerda que los mensajes pueden ser metafóricos o literales.
5. **Revisa.** Sigue revisando el problema de vez en cuando, durante breves períodos de tiempo, para que tu intuición esté activa hasta que dé con la respuesta. Este proceso puede ser muy rápido o llevarte algún tiempo, según cual sea la naturaleza y complejidad del problema.

## Declaración de intenciones

1. Estoy dispuesto a presenciar y a transformar todo el sufrimiento que surge en mi trabajo. Estoy dispuesto a liberarme de la limitación de todos mis condicionamientos, creencias, suposiciones, pactos inconscientes, obligaciones, dramas, de la actitud de perseguidor, salvador o víctima que me bloquean.
2. Estoy dispuesto a ser más auténtico, estar más presente, ser más consciente en mi vida y en mi trabajo. Estoy dispuesto a dejar de confiar excesivamente en vivir con el piloto automático. Estoy dispuesto a ser totalmente yo mismo.
3. Estoy dispuesto a transformar mi actitud y mi perspectiva en mi trabajo. Estoy dispuesto a afrontar todos mis temores sobre el presente y el futuro. Estoy dispuesto a ver un futuro brillante, expansivo, incitante y esperanzador abriéndose ante mí.
4. Estoy dispuesto a reconocer que mi tiempo en la Tierra es limitado. Estoy dispuesto a reconocer que mi tiempo es muy valioso. Estoy dispuesto a utilizar mejor mi tiempo.
5. Estoy dispuesto a aceptar la totalidad de mis dones, recursos, aptitudes y talentos. Estoy dispuesto a utilizar mi intelecto con mi imaginación y mi intuición. Estoy dispuesto a desarrollar mis aptitudes. Estoy dispuesto a encontrar mi lugar en el mundo. Estoy dispuesto a escuchar la información que recibo y a utilizarla correctamente.
6. Estoy dispuesto a divertirme, a estar de buen humor, a reírme y al juego creativo en mi trabajo. Estoy dispuesto a no tomarme tan en serio.
7. Estoy dispuesto a divertirme, a jugar y a que entren en mi vida personas positivas. Estoy dispuesto a abrirme y a conectar de verdad con otros exploradores y pioneros de los campos que he elegido.
8. Estoy dispuesto a que mi trabajo sea una historia de amor. Estoy dispuesto a descubrir mis verdaderos principios. Estoy dispuesto a que el entusiasmo y la alegría entren en mi trabajo. Estoy dispuesto a disfrutar con lo que hago. Estoy dispuesto a que se me revele cuál

va a ser el trabajo de mi vida. Estoy dispuesto a soñar con mi trabajo hasta que se haga realidad.

9. Estoy dispuesto a fluir como el agua en vez de luchar. Estoy dispuesto a actuar sin esfuerzo de acuerdo con mis verdaderos principios. Estoy dispuesto a estar en el lugar correcto en el momento correcto. Estoy dispuesto a que mi trabajo se desarrolle con facilidad y gracia. Estoy dispuesto a trabajar con más dicha si cabe.
10. Estoy dispuesto a emprender este viaje y encontrar mi propio camino. Estoy dispuesto a confiar en mi guía interior y a terminar este viaje, dondequiera que me lleve.

# 9

# Trabaja y juega

«El trabajo que he realizado lo he hecho porque era un juego. Si hubiera sido trabajo no lo hubiera hecho.»

MARK TWAIN

En 1957, se tuvo que trasladar una estatua del Buda de un templo de Tailandia, porque se estaba construyendo una nueva autopista que atravesaría Bangkok. Como era tan pesada, cuando la grúa empezó a levantar la gigantesca estatua, ésta empezó a resquebrajarse. Como llovía, el monje encargado, por temor a que se dañara la estatua, pidió que la bajaran al suelo y la cubrió con una gran tela para protegerla de la lluvia. Al cabo de un rato, el monje fue a revisar la estatua. La alumbró con su linterna por debajo de la tela y observó un extraño reflejo. Fue al monasterio a buscar un cincel y un martillo y empezó a desconchar la arcilla. Tras muchas horas de trabajo el monje se encontró ante una imagen del Buda de oro macizo, de más de tres metros de altura. Los historiadores creen que cientos de años atrás, camuflaron la estatua para protegerla del ejército birmano invasor. El secreto de la estatua había estado oculto durante siglos.

## Los peligros de la conformidad y de la seriedad...

El trabajo es una de las formas en que podemos habituarnos a dos peligros: la conformidad y la seriedad. Son la arcilla dura que echan encima de nuestro sentido innato de naturalidad, creatividad, diversión y deseo de disfrutar la vida. Nuestro auténtico yo dorado puede quedar asfixiado por la conformidad y la seriedad. Con el tiempo podemos olvidar que el trabajo y la vida pueden ser agradables. Puede que aprendamos que el trabajo va en serio. Ésta es la visión de agachar-la-cabeza-e-ir-tirando en el trabajo. No tiene nada de divertida.

La seriedad era muy valorada en la Era Industrial, donde era necesaria la conformidad para mantener las máquinas en funcionamiento. La seriedad es una enfermedad de la era laboral que estamos despidiendo. Puedes averiguar si padeces la enfermedad de la seriedad respondiendo a unas pocas sencillas preguntas. ¿Sientes alguna vez que has de justificar tu salario? ¿Impera en tu puesto de trabajo la actitud de «no mezclar nunca el trabajo con el placer»? ¿Sientes alguna vez que no está bien estar demasiado alegre en el trabajo? ¿Te diviertes alguna vez en tu trabajo? Si la respuesta a todas estas preguntas es «no», entonces, probablemente, tendrás que hacer algo para alegrarte un poco. Tu trabajo no tiene la culpa, sino el hecho de que te has creído la idea de que el trabajo es una cosa muy seria. Y esta idea es muy peligrosa. La seriedad conduce a trabajar duro y en la era laboral actual, esto no te llevará muy lejos.

Ahora el trabajo está evolucionando, se basa más en la cooperación, la creatividad, la innovación y el juego. ¡Sí, juego! Los triunfadores se consideran jugadores, no trabajadores. Es una visión muy distinta del mundo laboral. No se trata sólo de una idea peculiar: la mayoría de las empresas se han dado cuenta de que no es sólo el dinero lo que mantiene a las personas en sus puestos. Cada vez hay más compañías que se sienten impulsadas a ofrecer condiciones y contextos laborales que apoyen a las personas: no sólo en el trabajo, sino en las áreas de bienestar social y de calidad de vida. La mayoría de las empresas se dan cuenta de que no pueden permitirse ser demasiado serias. Cuando una compañía es demasiado seria, la motivación de su personal puede deteriorarse y desplomarse. Las investigaciones demuestran que los empleados motivados suelen ser más productivos.

No te preocupes, tu jefe no va a empezar a contar chistes malos para mantener la moral alta. ¡Es más sutil que todo eso! Estamos en una era laboral que no sólo permite el juego, sino que lo fomenta y lo celebra. Por ejemplo, veamos el innovador sitio web de YouTube creado en 2005: da acceso global a un ilimitado despliegue de cantantes, bailarines, artistas y cómicos aficionados, y prácticamente a cualquier cosa que puedas imaginar. No es sólo YouTube el que celebra el juego y la exclusividad. Hay muchos otros sitios web como Facebook, donde ser normal equivale a ser soso y aburrido, y por consiguiente, invisible.

Tengo una amiga que empezó a trabajar para una empresa que se llama Happy Computers. Me dijo que era un lugar realmente divertido. Investigué un poco sobre la compañía y descubrí que Happy Computers cree que las personas tienen recursos innatos, lo que no es un mal comienzo. Afirma que «todas las personas (sin excepción) nacen con una gran inteligencia y tremendas ganas de aprender». Profundicé un poco más y vi que la empresa se basa en algunos principios interesantes, entre los que se encuentran: la confianza en los empleados; hacer que los empleados se sientan a gusto; libertad pero marcando unas claras directrices; receptividad y transparencia; contratación por actitud; formación según habilidades; celebrar los errores y crear una comunidad de beneficio mutuo. ¡Qué grandes valores para tratar a los empleados! También descubrí que creen que aprender ha de ser divertido. Como sentía curiosidad, fui a hacer un curso de *software*. Las oficinas no se parecían a las de ninguna otra empresa que había visitado. La recepción era muy alegre y relajante. Enseguida me sentí cómodo y disfruté de la formación. Descubrí por mí mismo que la diversión también es efectividad. Trabajan según el viejo refrán: «Dímelo y lo olvidaré; muéstramelo y me acordaré; implícame y lo comprenderé». En los premios anuales de IT Training (Formación Informática) 2009, Happy Computer recibió el premio a la mejor suministradora de formación informática del Reino Unido. Happy ya había ganado la medalla de plata en 2006, 2007 y 2008.

Mientras investigaba sobre Happy Computers, también descubrí otra organización pionera llamada Great Place to Work Institute (Instituto para el

Centro de Trabajo Perfecto), que ha estado asesorando a empresas de todo el mundo desde 1998, para realizar cambios en su cultura de trabajo y entorno, con el principal objetivo de crear una sociedad mejor de trabajadores más felices. Recogen información e ideas de sus contactos con algunas de las mejores compañías de todo el mundo para promover cómo crear entornos laborales positivos. El Great Place to Work Institute dice: «Las empresas que sean capaces de mantener la confianza, la lealtad y el compromiso tendrán el perfil competitivo que se requiere en el nuevo ámbito empresarial».

No sólo las empresas promueven la felicidad, sino que también hay personas que han aprendido a prosperar a través del juego y de la diversión. Veamos el caso de Richard Branson, quien dice que nunca se metió en el mundo de los negocios para ganar dinero. Sin embargo, ha descubierto que cuanto mejor se lo pasa más dinero gana. Al ser disléxico, tuvo que batallar con el sistema educativo izquierdo-hemisférico de la década de 1960. No obstante, sus facultades creativas despuntaron en su adolescencia y se implicó en el activismo estudiantil. Tuvo la interesante idea de crear un periódico estudiantil que se centrara en los alumnos, no en las escuelas. Branson consiguió persuadir a Peter Blake, el diseñador de la portada del disco de los Beattles *Sergeant Pepper*, para que donara algunas de sus obras y concediera una entrevista al periódico. Tras el exitoso lanzamiento del periódico, el director de cursos de su instituto escribió: «Enhorabuena, Branson. Pronostico que o acabarás en la cárcel o te harás millonario».

## Aprende a jugar...

Cuando éramos niños sabíamos jugar. Trepábamos a los árboles, corríamos por el parque de nuestro barrio, escuchábamos cuentos, construíamos cosas con el Lego y jugábamos con muñecas. Así es como dimos nuestros primeros pasos para afianzar nuestro sentido del yo, creatividad, resistencia, recursos y libertad. Jugar es lo primero que nos ayuda a controlar nuestro tiempo. Algunos sistemas educativos son conscientes de la importancia del juego, como el increíble experimento en enseñanza progresista de una región del centro de Italia, conocido como el Sistema de Reggio Emilia, que ya lleva cuarenta años funcionando. El lema de este método de enseñanza es «no hacer nada sin alegría». Por desgracia, la mayoría de las escuelas no son tan progresistas, por lo que nuestros aspectos creativos quedan cubiertos con la arcilla endurecida de la conformidad y la seriedad. Entonces el juego ya no tiene cabida en nuestro mundo. Ahí es cuando tenemos problemas y necesitamos ayuda.

Por fortuna, no todas las personas quedan cubiertas con esa arcilla dura. Unas pocas personas valientes se unen a la resistencia y promueven la noconformidad y el juego creativo. Normalmente, se las considera excéntricas. La palabra «excéntrico» procede de la palabra griega *ekkentros*, que significa «fuera del centro». Por lo tanto, esta palabra no quiere decir actuar de una manera rara, sino ser más uno mismo. La excentricidad se suele asociar a la genialidad, al talento intelectual y a la creatividad. La conducta excéntrica puede parecer extraña e ilógica vista desde fuera, pero no es más que un reflejo de la mente original de la persona.

En nuestra sociedad conformista, los excéntricos son los pioneros de la inconformidad, la innovación y la originalidad. Uno de mis excéntricos favoritos fue Oscar Wilde. Vivió en una época de conservadurismo moral en la Inglaterra victoriana, sin embargo le encantaba llevar ropa extravagante. Cuando estudiaba en la Universidad de Oxford, su habitación estaba decorada con porcelana china de color azul claro, girasoles y plumas de pavo real. A veces incluso salía a pasear por Oxford con una langosta atada con una correa. Yo no elegiría vivir de este modo, pero admiro a Oscar por su valentía para ser él mismo a cualquier precio.

Hay muchos excéntricos contemporáneos en el mundo. Veamos, por ejemplo, el artista Damien Hirts, que creó un molde de platino de una calavera humana, su obra se llama *Por el amor de Dios*. La obra está recubierta con un *pavé* de más de 8.500 diamantes inmaculados. En el entrecejo incrustó un gran diamante rosa. El nombre de la calavera lo inspiró supuestamente la madre de Hirst al preguntarle: «Por el amor de Dios, ¿qué vas a hacer ahora?»

Los excéntricos creen que está bien ser como son. Esto es una invitación a que nos convirtamos en aprendices de excéntricos. No es necesario que te vistas de manera extravagante o que pasees langostas con una correa por la calle. Pero sí que empieces a entablar un diálogo a través del cual puedas descubrir quién eres y qué es lo que te gustaría hacer: aunque eso vaya en contra de algunas convenciones sociales. Una vez tuve un cliente de coaching que era un retratista famoso. La cuestión era que no estaba haciendo lo que realmente deseaba. Lo que de verdad quería pintar eran cosas que probablemente a la gente le parecerían absurdas. A esta necesidad insatisfecha la denominaba «el elefante en la habitación». Lo que reprimía este impulso era su idea condicionante de que la pintura tenía que ser perfecta. Como aprendiz de excéntrico, tu misión es quitar la arcilla dura para que puedas jugar, ser creativo y divertirte haciendo lo que te gusta. Y no importa si las demás personas no están de acuerdo contigo: lo que importa es que lo que hagas te parezca correcto.

Los excéntricos pueden enseñarnos a defender nuestra identidad y a no tomarnos demasiado en serio. Pueden enseñarnos a ser aventureros, tranquilos y a estar receptivos para más juego y diversión. La diversión es buena para tu salud: divertirte te ayuda a liberar endorfinas en el torrente sanguíneo. Jugar es una actividad del hemisferio derecho, por supuesto, pero si deseas jugar desde una perspectiva más cercana al hemisferio izquierdo, podrías proponerte incrementar tu nivel general de alegría en un 13 por ciento en el plazo de una semana, y conseguir un 20 por ciento en el siguiente trimestre. Incluye un aumento del 17,5 por ciento en tu producción de diversión la semana que viene, para conseguir un aumento total del 21,5 por ciento en el próximo trimestre. ¡Estoy bromeando! Pero supongo que podrías considerarlo. ¡Y dime si funciona!

El juego no es sólo para personas con trabajos potencialmente creativos como los artistas, coreógrafos o directores musicales. También es importante para trabajos como la enfermería, enseñanza, agricultura y cualquier otra ocupación donde normalmente no se permite el juego. El prolífico inventor y científico Thomas Edison, creador de la cámara de cine y de la bombilla eléctrica, dijo: «Pero si no he trabajado en toda mi vida. Nunca he hecho más que divertirme». Asimismo, si miras a tu alrededor descubrirás personas de todas las profesiones y clases sociales que se divierten. Un amigo mío conoció a una mujer en un tren y empezaron a hablar de sus trabajos. Según parece, la mujer se dedicaba a ver películas durante cuarenta horas a la semana, y a seleccionar las que se iban a estrenar en una cadena de cines independientes del sudeste de Inglaterra. ¡Qué trabajo más increíble, justo el que me hubiera gustado hacer en vez de trabajar en la banca!

La diversión también se puede producir en el mundo bastante serio de la medicina. A finales de la década de 1990, conocí a Patch Adams. Patch Adams es médico y payaso. También es un activista social que ha dedicado cuarenta años de su vida a cambiar el sistema sanitario estadounidense. Cree que la risa, la alegría y la creatividad son parte integral del proceso de sanación. Con un grupo de veinte amigos, incluidos tres médicos, se trasladó a vivir a una casa de seis habitaciones y allí fundó el Gesundheit Institute. Abrieron un hospital gratuito, que funcionaba veinticuatro horas al día los siete días de la semana, para todo tipo de cuidados médicos, desde el nacimiento hasta la muerte. Aunque el personal tenía un empleo suplementario para poder subsistir y poder mantener a sus familias, nadie abandonó la casa durante los primeros nueve años. El inspirador trabajo de Patch Adams acabó llamando la atención de Hollywood y condujo a la taquillera película sobre su vida protagonizada por Robin Williams. Hasta el día de hoy, los cuidados sanitarios que prescribe Adams están basados en el humor y en el juego, que él considera esencial para la salud física y emocional.

> *«Has de tener un caos en tu alma para dar a luz a una estrella del baile.»*
>
> FRIEDRICH NIETZSCHE

## La ética del juego...

Buckminster Fuller dijo: «Nunca cambiarás las cosas combatiendo la realidad existente. Para cambiar algo, construye un modelo nuevo que deje obsoleto al modelo existente». Generación tras generación, en gran parte del mundo occidental la gente ha trabajado durante siglos de acuerdo con un modelo viejo, la ética laboral protestante. Según ésta, el «buen» trabajo se basaba en los principios generalmente aceptados del ahorro, la disciplina y el trabajo duro. El escritor escocés victoriano Thomas Carlyle dijo en 1843: «El trabajo es la vida. De lo más profundo del corazón del trabajador surge su fuerza otorgada por Dios [...]; en la ociosidad reside la desesperación permanente». La ética del trabajo es un correoso y resistente conjunto de ideas porque, tal como dijo Max Weber, es la esencia del «espíritu del capitalismo». Ahora esta ética se está disolviendo porque ya no representa el espíritu de la era laboral actual.

No obstante, la desfasada ética laboral no se está marchando pacíficamente. Por ejemplo, veamos a Jack, un brillante licenciado de Cambridge que se convirtió en un gran empresario a una temprana edad. Se graduó con dos matrículas de honor, y en 2004 fue el cofundador de una empresa que ofrece formación en desarrollo personal y coaching para los jóvenes. La compañía tuvo un gran éxito, no sólo porque ayudó a cambiar la vida de muchas personas, sino también en lo que respecta a beneficios económicos. Jack trabajó mucho, pero tras varios años construyendo la empresa y logrando el éxito que anhelaba, sintió que necesitaba algo más. Sentía que necesitaba más tiempo para pensar, reflexionar y considerar sus opciones. La situación llegó a un punto crítico cuando Jack decidió que quería pasar un mes en la India con su novia. Esto supuso un desafío, pues iba en contra de la ética de la empresa. Jack creía en la empresa, pero en su interior se estaba cociendo algo más. Curiosamente, su empresa tenía su sede en un lugar llamado The Fun Factory (La Fábrica de la Diversión). ¡Creo que en todo esto hay una gran clave!

Por fortuna, para personas como Jack, en las empresas está surgiendo una nueva ética que reta de forma directa a nuestra antigua forma de pensar sobre el trabajo. Pat Kane, autora de *The Play Ethic*, dice: «La ética del juego se basa en tener la confianza para ser espontáneo, creativo y empático en todas las áreas de tu vida. Se basa en situarte tú mismo, tus pasiones y entusiasmos en el centro de tu vida». Jugar no es ser holgazán o frívolo, sino un estado mental donde eres un creador activo. Jugar es la base para ser creativo. Cuando aprendes a jugar, estás aprendiendo a limpiar tu espacio físico y mental de las cosas que te deprimen. Esto significa que tienes más espacio interior para actividades placenteras, imaginativas y divertidas.

Brian Sutton-Smith, decano de los Estudios sobre el Juego de la Universidad de Pensilvania, dice: «El trabajo es lo opuesto al juego. Es la depresión». Jugar no es tiempo libre o relajación total. Es todo lo contrario, jugar es dinamismo y concentración. Según Pat Kane, «Autodenominarse "jugador", en vez de "trabajador" implica ampliar inmediatamente tu concepto de quién eres y de lo que puedes ser capaz de hacer. Es dedicarte a realizar todo tu potencial humano; a ser activo, no pasivo».

Casi al mismo tiempo que conocí la ética del juego, descubrí un par de historias respecto a este tema. La primera era la de un hombre que combatió en la Primera Guerra Mundial. Fue soldado de artillería. En esos días utilizaban caballos para tirar de los cañones. Después de las maniobras, a veces desenganchaban a los caballos y los usaban para jugar al polo. Cuando jugaba sentía una euforia que no había sentido antes o después. Pensaba que jugar al polo era lo único que le hacía sentirse tan bien. Luego, a sus ochenta años, leyó un libro que le animaba a que jugara más en su vida. Se dio cuenta de que lo que había sentido de joven no necesariamente se debía al polo. Así que inició nuevas actividades: escuchaba música, aprendió jardinería y probó otras cosas que le restauraron la euforia de su juventud. Descubrió que nunca se es demasiado viejo para empezar a jugar.

La segunda historia es la de un hombre llamado Paul, que a principios de la década de 1960 empezó a trabajar en una fábrica del norte de Inglaterra. Comenzó barriendo el patio de la fábrica, luego le trasladaron al taller. Sin embargo, su verdadera pasión era la música y formaba parte de un grupo musical. Un día, un par de compañeros del grupo se presentaron en la fábrica y le dijeron que tenían una actuación en un club del pueblo. Paul les dijo que no podía ir porque tenía un trabajo fijo en el que cobraba «siete libras con catorce chelines a la semana». Pero luego se lo pensó mejor, «saltó» el muro de la fábrica y se fue a tocar con su grupo. Paul McCartney dijo posteriormente: «Excelente jugada, como luego se vio».

*«La función última del juego [...] es mantener nuestra capacidad de adaptación, vigor y optimismo ante la incertidumbre, el riesgo y las exigencias del mundo.»*

PAT KANE

## ¿POR QUÉ ES IMPORTANTE JUGAR?

- Jugar nos da tiempo para estar quietos y sin hacer nada.
- Jugar nos ayuda a relajarnos y a despreocuparnos.
- Jugar es una forma importante de aprender.
- Jugar nos conecta y nos une a los demás.
- Jugar nos ayuda a confiar y a estrechar vínculos.
- Jugar nos enseña perseverancia.
- Jugar estimula la imaginación.
- Jugar nos abre a aptitudes relacionadas con la empatía.
- Jugar nos ayuda a liberarnos de pensamientos que teníamos encerrados en la mente.
- Jugar activa todo el cerebro.
- Jugar nos ayuda a concentrarnos y a estar presentes en lo que hacemos.
- Jugar aguza nuestra memoria y concentración.
- Jugar ayuda a que surjan ideas creativas.
- Jugar nos permite explorar ideas nuevas y nuevas formas de hacer las cosas.
- Jugar nos ayuda a ser más productivos.
- Los entornos laborales lúdicos atraen a las personas con talento.
- Jugar es el perfecto antídoto para una vida ocupada.
- Jugar revitaliza el espíritu humano.

## Jugar sin agenda...

Bernie DeKoven, uno de los promotores del New Games Movement, ha dedicado su vida a crear juegos que unan a las personas en el contexto de jugar por diversión. Bernie dice: «Cuando la diversión se arraigue lo suficiente, podrá salvar al mundo». Bernie cree que está bien perder. «Ser derrotado limpiamente por tu propio nieto es uno de los grandes acontecimientos de la vida.» También dice que nadie ha de perder. Por algún motivo, creamos juegos competitivos que nos tomamos demasiado en serio. ¿Cuántas veces has visto llorar a un niño porque ha «perdido» jugando a algo? La competición separa, en vez de unir. Aunque intentes que la competición sea amistosa y divertida, el que haya ganadores y perdedores hace que se pierda el espíritu del juego, que es divertirse y pasárselo bien. Por supuesto, también es posible jugar para competir, y seguir manteniendo el sentido del humor. Pero es difícil, basta con echar un vistazo a los deportes de competición donde hay mucho dinero en juego para ver que se pueden convertir en algo más agresivo. Cuando juegas, ¿qué te parece hacerlo sólo por diversión, jugar para aprender cómo lo hacéis tú y otras personas, jugar para descubrir una verdadera afinidad emocional y conexión con los demás?

Le pregunté a Yumicho, una terapeuta del juego, sobre su trabajo. Ella trabaja con niños de familias humildes para ayudarles a conectar con su naturaleza creativa, auténtica y espontánea. El juego es una gran herramienta para facilitar que se produzca una transformación en los niños cuando no pueden cambiar sus circunstancias externas. Me dijo que a los adultos les suele costar jugar: se resisten más que los niños porque asocian jugar con perder el control. El juego es una poderosa herramienta que nos puede servir para transformar el estrés, conocer nuestras verdaderas facultades y el propósito de nuestra vida. Yumicho dice que, en el fondo, todos sabemos jugar, aunque se nos haya condicionado a olvidar.

Me gusta estar con personas creativas y juguetonas. Una buena amiga que me ha enseñado mucho sobre el juego es Lisa. Todo lo que hace Lisa tiene algo de juguetón. Estudió en Estados Unidos para ser maestra y trabajó como tal, pero al final se tomó un tiempo de descanso para irse a vivir al sur de Irlanda, conocer el país, descubrirse a sí misma, tomar algunos cursos de crecimiento personal y vivir una aventura. Le pregunté por su trabajo y me respondió: «Mi trabajo es cualquier cosa que esté haciendo en este momento. Hace un par de horas estuve avivando las llamas internas de la gratitud y la dicha en un acantilado que da al Atlántico. Esta mañana he hecho un trabajo de visualización para las personas que amo, y ése ha sido mi trabajo. Mañana estaré entrenando a los clientes del gimnasio, y ése será mi trabajo».

*«¿Y lo conseguirás? ¡Sí, por supuesto, seguro!*
*Noventa y ocho y tres cuartos por ciento garantizado.»*

DOCTOR SEUSS

## EJERCICIO 1

## Hora de jugar

- Dedica un tiempo cada día al juego creativo. Prueba el tiempo de juego estructurado y desestructurado.
- Plantéate una serie de preguntas abiertas sobre el juego y la diversión.
- ¿Qué tipo de actividades te gustaría hacer, por cuáles sientes interés o crees que te gustaría probar?
- Explora diversos tipos de juego como pintar, juegos de mesa, contar cuentos, subirte a los árboles o acertijos. ¿Qué te parece organizar una caza del tesoro, salir de *camping*, pintarte el cuerpo o hacer salidas para observar las estrellas?

## EJERCICIO 2

### Crea un proyecto divertido

- Decide algo que te gustaría crear para que sea tu proyecto divertido. Haz que sea algo que incluya elementos de juego y que tenga resultados tangibles.
- El proyecto puede ser algo creativo que haces por ti mismo, como cocinar o escribir un artículo, una historia o una poesía. Puede ser algo como crear un videoclip corto o una serie de videoclips. O puede ser un proyecto que implique a otras personas, como crear un grupo para hacer chocolate, un grupo de meditación o un club de aficionados al cine.
- Dedica un tiempo fijo a este proyecto, quizás el mismo día y hora cada semana. Esto es importante para asegurarte de que te vas a comprometer con el proyecto.
- Graba tus ideas y progresos. Haz un seguimiento hasta que el proyecto haya concluido. Comparte los resultados del proyecto con los demás.

## Jugar y reír...

A mediados de la década de 1960, Norman Cousins —escritor, editor, periodista político y activista por la paz— regresaba a casa en avión desde el extranjero y tenía un poco de fiebre. Al cabo de una semana apenas se podía mover y no tardaron en diagnosticarle una enfermedad crónica y degenerativa. Los médicos le dijeron que se quedaría en una silla de ruedas en el plazo de unos meses o un año como máximo. Cousins estaba convencido de que su estado se debía a la tremenda presión que había estado soportando en su trabajo. Salió del hospital con la conclusión de que ni el exceso de medicación ni la negatividad general imperante en el medio hospitalario, «eran lo que necesitaba una persona que estuviera gravemente enferma». Dejó de tomar todos los medicamentos y empezó a ingerir grandes dosis de vitamina C. Luego se fue a un hotel y se llevó un proyector y una gran cantidad de películas divertidas, y muchas cintas de cámara oculta y varias películas de los Hermanos Marx. La primera noche se dio cuenta de que se rió tanto que pudo gozar de varias horas sin dolor. Cuando le volvía el dolor, encendía el proyector y la risa le volvía a inducir al sueño. En cuestión de días se empezó a encontrar mucho mejor, y en cuestión de meses había regresado a su trabajo con una salud casi perfecta.

## EJERCICIO

### El humor en el trabajo

- Lleva calcetines o ropa interior divertida para trabajar.
- Busca un CD o un MP3 divertido y escúchalo de camino al trabajo.
- Busca cosas divertidas en la publicidad, periódicos y revistas.
- Fíjate en las cosas divertidas que suceden cuando vas a trabajar.
- Ten refranes divertidos en tu mesa de despacho para que te alegren el día.
- Pon un tablón donde puedas colgar cosas divertidas.
- Fíjate en las meteduras de pata divertidas y las conductas excéntricas de tus compañeros de trabajo.
- Ríete con las personas en vez de reírte de ellas.
- Sonríe a menudo sin razón alguna, la sonrisa es precursora de la risa.
- Encuentra la manera de reírte con tus compañeros de trabajo sin razón alguna.
- Busca personas que tengan sentido del humor y reúnete con ellas en los descansos.
- Haz una pausa para decir algo divertido durante las reuniones.

Indiscutiblemente, el humor es bueno para tu salud. Según la terapeuta de la risa Edna Junkins: «La risa es un don humano para afrontar las situaciones y para la supervivencia». El cómico Bill Cosby también está de acuerdo con esto: «Si puedes reírte de ello, puedes superarlo», dijo. El sentido del humor es muy importante en el trabajo. Michael Kerr, autor de *You Can't Be*

*Serious - Putting Humour to Work*, hace hincapié en que el sentido del humor no es sólo una herramienta en el trabajo, sino un barómetro que indica el buen funcionamiento y lo saludable que es el lugar donde trabajas. Dice que el humor puede ayudarnos a combatir el estrés, a levantar la moral, a fomentar la creatividad y la productividad. Nada actúa más rápido o es más seguro para reequilibrar tu mente, cuerpo y espíritu que reírse a gusto. El sentido del humor inspira esperanza, te conecta con los demás y te ayuda a tocar de pies al suelo. La risa también puede ayudarte a sentirte mejor, a ver las cosas con más claridad y a sopesar tus opciones con mayor entusiasmo.

Hay una historia sobre una mujer judía de mediana edad cuyos hijos ya eran mayores y se habían marchado de casa. Un día, de pronto, decidió que necesitaba ir al Himalaya para hablar con un lama budista. Se fue a una agencia de viajes y el agente le dijo: «El Himalaya, ¿está segura? Es un viaje muy largo, hablan otro idioma, comen cosas raras y el principal medio de transporte son los carros tirados por bueyes. ¿Qué le parece Londres, París o Florida?» Pero ella estaba totalmente segura y le organizaron el viaje. El día de partida se puso su mejor traje. Primero viajó en avión, luego en tren, después en autobús y, por último, en un carro tirado por bueyes, hasta que llegó a un lejano monasterio budista en Nepal. Una vez allí, un monje le dijo que el lama que andaba buscando estaba en un retiro de meditación en una cueva lejana y que no se le podía molestar. Pero era una mujer decidida, había hecho un largo viaje y no se iba a rendir. Al final, el monje cedió, le dijo que podría hablar con el lama brevemente durante más o menos un minuto. Ella aceptó y partió con algunos monjes y *sherpas*, y subieron a la cima de la montaña por un tortuoso sendero. Con una gran fuerza de voluntad, consiguió llegar a la cima y entrar en la cueva donde estaba meditando el lama. De pie, desde la estrecha entrada de la cueva, sólo podía distinguir la silueta de una figura meditando. Respiró profundo y le dijo alto y claro: «¡Moshe, ya basta. Soy tu madre..., vuelve a casa de una vez!»

## MEDITACIÓN

### La sonrisa interior

La meditación de la sonrisa interior procede de la antigua tradición taoísta china. Se enseñaba para mejorar la salud, la felicidad y la longevidad.

1. Relájate. Dirige tu atención hacia tu cuerpo, empezando por la cabeza y terminando por los pies. Siente que estás en un estado natural, relajado y neutro. Pon tu atención en tus labios y en las comisuras de la boca. Observa la sensación de las comisuras de los labios en este estado neutral y relajado.
2. Luego eleva muy sutilmente las comisuras de los labios hasta que sientas la «sonrisa interior». Eleva conscientemente las comisuras, muy conscientemente, hasta que notes una cálida sensación de bienestar.
3. Concéntrate en el corazón e imagina que irradia una «sonrisa interior» hacia tu cabeza.
4. Concéntrate en tu pecho y vuelve a imaginar que se irradia una «sonrisa interior» desde tu pecho: desde tu corazón y tus pulmones.
5. Mueve la barriga e imagina que desde ella se irradia una «sonrisa interior» hacia tu hígado, bazo, estómago e intestinos.
6. Mueve la pelvis e imagina que se irradia una «sonrisa interior» hacia tus caderas, genitales y zona sacra.
7. Ahora pasa a tus piernas e imagina que se irradia una «sonrisa interior» hacia tus muslos, rodillas y espinillas.
8. Concéntrate en tus pies y tobillos e imagina que irradian una «sonrisa interna».
9. Por último, dirige conscientemente la energía de la «sonrisa interior» a tus huesos, sangre, sistema nervioso y a todo tu cuerpo.

La risa nos ayuda a afrontar los golpes duros que inevitablemente recibimos en nuestro camino, y no cabe duda de que en nuestro estresante mundo de hoy, necesitamos reírnos mucho más. La risa es buena porque nos ayuda a liberar tensión física y estrés, reduce las hormonas del estrés, refuerza el sistema inmunitario y los anticuerpos que combaten las infecciones, nos ayuda a liberar emociones fuertes como la ansiedad, la ira o la tristeza, activa la liberación de hormonas que nos hacen sentirnos bien, y nos ayuda a cambiar de perspectiva, permitiéndonos ver la situación con otros ojos. Por cierto, ¿conoces la historia de las dos orugas? Bien, un día dos orugas se arrastraban por un bosque y se les cruzó una mariposa. Una oruga se giró y le dijo a la otra: «¿Has visto eso? Bueno, ¡nunca me verás como una de ésas!»

*«¿Quién demonios quiere oír hablar a los actores?»*

HARRY WARNER, HERMANOS WARNER, 1927

## El juego y la creatividad...

La creatividad es importante en muchas profesiones, como la arquitectura, el arte, el diseño, el cine, la fotografía, la televisión y la escritura, así como para los negocios, el coaching, la ingeniería, la dirección de empresas, el marketing, el desarrollo de productos, la formación y la enseñanza. La creatividad no es algo que se enseñe en las escuelas. Sin embargo, cuando somos pequeños, somos creativos y juguetones espontáneamente. Cuando nos olvidamos de jugar, nos olvidamos de ser creativos.

Una persona que sabía de juego creativo era Walt Disney. Ganó veintiséis premios Oscar por sus películas a lo largo de su vida, el mayor número que ha recibido una persona. Tenía la increíble habilidad de transformar algo que existía en su imaginación en algo que aportara felicidad a la gente. La energía, imaginación y determinación de Walt Disney no tenía límites, pero había un secreto para su éxito. Cuando trabajó en las primeras películas de dibujos animados que le otorgaron la fama *(Blancanieves, Pinocho, Bambi* y *Fantasía)*, utilizó una nueva visión creativa para coordinar los proyectos de sus películas. Pasaba sus ideas para cada película por tres habitaciones: cada sala tenía una función diferente. En la Sala Uno colocaba las ideas en fase inicial. Era la habitación para soñar: allí no había límites o restricciones, toda corazonada o idea extravagante tenía su lugar para ser desarrollada. En la Sala Dos, se coordinaban los sueños de la Sala Uno y se creaba el *storyboard**, lo que daba pie al argumento, a los personajes y a las acciones que encajaban en cada secuencia. (El *storyboard* fue una invención de Disney.) En la Sala Tres todo el equipo hacía una revisión crítica del proyecto. Aquí el proyecto se desmenuzaba y criticaba. Luego el proyecto volvía a la Sala Uno, donde se seguía trabajando en el mismo. Si una idea no sobrevivía a la Sala Tres, se abandonaba, pero si se encontraba con el silencio, significaba que estaba lista para producción.

Robert Dilts estudió el proceso creativo de Walt Disney y escribió sobre él mismo en su libro *Strategies of Genius: Volume 1*. Dilts contribuyó a convertir la estrategia creativa de Disney para hacer dibujos animados en una estrategia para el éxito en cualquier labor creativa. La creatividad se puede manifestar de muchas formas distintas: cocinando, practicando jardinería o en algún negocio. La creatividad se basa en pensar, ver las cosas y actuar de formas innovadoras. Robert Dilts se dio cuenta de que cada proyecto creativo necesitaba los tres elementos de imaginación creativa, acción práctica y el tamiz de la crítica. «Un soñador sin un realista no puede transformar sus ideas en expresiones tangibles. Un crítico y un soñador sin un realista se quedan estancados en un conflicto permanente. Un soñador y un realista pueden crear cosas, pero puede que no consigan un alto grado de calidad sin un crítico. El crítico ayuda a evaluar y a pulir los productos de la creatividad», dice Robert.

---

* En el lenguaje cinematográfico es un tablón o tablones donde se cuelga toda la sucesión de imágenes (como si fuera un cómic) que forman la historia. *(N. de la T.)*

## EJERCICIO

### La estrategia creativa de Walt Disney

Este ejercicio se hace mejor en grupos de tres personas. Es un proceso para jugar con una idea, sueño o proyecto creativo. Colocad tres sillas formando un triángulo con los asientos mirando al centro. Elegid quién será la persona A (la soñadora), la persona B (la realista) y la persona C (la crítica) y sentaos. La persona A empieza, las personas B y C son testigos del proceso. También están los que toman notas y corroboran todo lo que se ha dicho al final de cada representación.

- **La postura del soñador.** La persona A habla durante cinco minutos sobre un sueño, idea creativa o proyecto. Responde a la pregunta «¿Cuál es el sueño que más te gustaría crear?» Expone todas las posibilidades: no te reprimas, sólo explora este posible futuro.
- **La postura del realista**. La persona B habla durante cinco minutos sobre las posibilidades de crear este proyecto. Responde a la pregunta «¿Cómo vas a crear este sueño?» Piensa en los plazos de tiempo y en cómo se llevaría a cabo concretamente. ¿Quién más ha de colaborar y qué recursos necesitas?
- **La postura del crítico.** La persona C habla durante cinco minutos sobre los problemas del proyecto. Observa si los elementos encajan o no. Observa qué es necesario y qué es lo que falta. Responde a la pregunta «¿Por qué se tiene que rediseñar o desestimar este proyecto?»
- **La postura de reflexión.** Regresa a la postura del soñador durante un minuto y vuelve a preguntarte «¿Todavía estás dispuesto a seguir adelante con esta idea después de lo que han dicho tu realista y tu crítico?» Luego habla B y luego C, hasta que se toma una decisión o plan definitivo.

## Declaración de intenciones

1. Estoy dispuesto a presenciar y a transformar todo el sufrimiento que surge en mi trabajo. Estoy dispuesto a liberarme de la limitación de todos mis condicionamientos, creencias, suposiciones, pactos inconscientes, obligaciones, dramas, de la actitud de perseguidor, salvador o víctima que me bloquean.
2. Estoy dispuesto a ser más auténtico, estar más presente, ser más consciente en mi vida y en mi trabajo. Estoy dispuesto a dejar de confiar excesivamente en vivir con el piloto automático. Estoy dispuesto a ser totalmente yo mismo.
3. Estoy dispuesto a transformar mi actitud y mi perspectiva en mi trabajo. Estoy dispuesto a afrontar todos mis temores sobre el presente y el futuro. Estoy dispuesto a ver un futuro brillante, expansivo, incitante y esperanzador abriéndose ante mí.
4. Estoy dispuesto a reconocer que mi tiempo en la Tierra es limitado. Estoy dispuesto a reconocer que mi tiempo es muy valioso. Estoy dispuesto a utilizar mejor mi tiempo.
5. Estoy dispuesto a aceptar la totalidad de mis dones, recursos, aptitudes y talentos. Estoy dispuesto a utilizar mi intelecto con mi imaginación y mi intuición. Estoy dispuesto a desarrollar mis aptitudes. Estoy dispuesto a encontrar mi lugar en el mundo. Estoy dispuesto a escuchar la información que recibo y a utilizarla correctamente.
6. Estoy dispuesto a divertirme, a estar de buen humor, a reírme y al juego creativo en mi trabajo. Estoy dispuesto a no tomarme tan en serio.
7. Estoy dispuesto a divertirme, a jugar y a que entren en mi vida personas positivas. Estoy dispuesto a abrirme y a conectar de verdad con otros exploradores y pioneros de los campos que he elegido.
8. Estoy dispuesto a que mi trabajo sea una historia de amor. Estoy dispuesto a descubrir mis verdaderos principios. Estoy dispuesto a que el entusiasmo y la alegría entren en mi trabajo. Estoy dispuesto a disfrutar con lo que hago. Estoy dispuesto a que se me revele cuál

va a ser el trabajo de mi vida. Estoy dispuesto a soñar con mi trabajo hasta que se haga realidad.

9. Estoy dispuesto a fluir como el agua en vez de luchar. Estoy dispuesto a actuar sin esfuerzo de acuerdo con mis verdaderos principios. Estoy dispuesto a estar en el lugar correcto en el momento correcto. Estoy dispuesto a que mi trabajo se desarrolle con facilidad y gracia. Estoy dispuesto a trabajar con más dicha si cabe.
10. Estoy dispuesto a emprender este viaje y encontrar mi propio camino. Estoy dispuesto a confiar en mi guía interior y a terminar este viaje, dondequiera que me lleve.

# 10

# Ama tu trabajo

«El trabajo es amor hecho visible.
Y si no podéis trabajar con amor, sino tan sólo con repugnancia, es mejor que dejéis el trabajo y os sentéis a la puerta del templo y recibáis la limosna de los que trabajen con alegría.»

KHALIL GIBRAN

En la película *Pretty Woman*, Edward Lewis (interpretado por Richard Gere), un próspero y despiadado hombre de negocios, circula en su coche por Hollywood Boulevard y se para a preguntar una dirección a una prostituta llamada Vivian (Julia Roberts). Ella se ofrece a indicarle el camino si le paga lo que le pide. Edward acepta y ella sube al coche. Como siente curiosidad por la vivaracha Vivian, le pide que le acompañe a su apartamento. A la mañana siguiente le propone que se quede con él toda la semana y le ofrece pagarle tres mil dólares. Durante su estancia Vivian empieza a divertirse, y Edward le da dinero para que se compre ropa. Él se gasta una enorme cantidad de dinero en ella, y Vivian se va transformando en una dama.

## El trabajo como romance...

A la mayoría de las personas no les gusta su trabajo. Puedes cambiar tu actitud respecto al trabajo y disfrutar con lo que haces. También puedes cambiar de trabajo y empezar a hacer lo que te dice el corazón. Cuando lo interior y lo exterior están en armonía, el trabajo se convierte en un romance. En la antigua Grecia había diferentes palabras para amor. Está el amor familiar, como el que siente un padre por su hijo. Está el amor que se encuentra en la amistad y en las comunidades próximas a ti. Luego hay un amor tan profundo que sacrificarías algo de ti mismo por otro. También está el *Eros*, que es el amor en su forma apasionada. Para los griegos este amor solía interpretarse como una especie de locura —*theia mania*— de los dioses.

Eros es el entusiasmo profundo y la alegría. Estos sentimientos pueden surgir en nuestro interior a través del trabajo sensual, como trabajar con madera, piedra, arcilla y metal, o a través de la fotografía y la pintura. Pueden venir a través del masaje o de las artes de la interpretación. Nanne es artista y le pregunté por su trabajo. «Me encanta levantarme por la mañana sabiendo que voy a estar todo el día pintando. El simple hecho de pintar me da energía, ver la pintura desplegándose ante mis ojos, cada vez que el pincel roza el lienzo es un paso más hacia la finalización del trabajo. Al ser pintora, cada paso es una bendición para mí, desde la idea inicial hasta la obra terminada. Supongo que me gusta pintar para hacer que la gente se sienta bendecida», me dijo.

Podemos sentir Eros tanto si nos gusta pintar como si nos gusta la jardinería, la enseñanza o la conducción, las ventas o la construcción. Eros es pasión y deseo. Cuando negamos nuestros deseos, negamos la entrada a Eros en nuestro trabajo. El reportero del *Washington Post* Bob Woodward —que investigó el escándalo Watergate— dijo: «Levantarte y tener un trabajo que te gusta es lo que te hace diferente del resto de las personas. Y si estás en una situación en la que no te gusta lo que haces, sal de ella. Es fácil ir en el barco de otro o en algo que parece seguro».

Pilar estudiaba derecho en España y estaba cursando su tercer año. Se fue de vacaciones y durante ese tiempo se dio cuenta de que la abogacía no era su camino. Descubrió que su verdadera pasión era el arte, así que abandonó su carrera y se puso a estudiar bellas artes. Eros no pudo fluir a través de ella en el campo del derecho, no sentía pasión por el mismo. Pero a través del arte sí pudo.

Asta eligió estudiar económicas y trabajar en el mundo de las finanzas, en parte porque sus padres le «aconsejaron amablemente» que siguiera ese camino y, en parte, porque no sabía qué elegir. Cada función que asumía en el «mundo corporativo» le parecía interesante, pero sentía que ésa no era realmente su meta. Se dio cuenta de que podía trabajar mucho y lograr cierto éxito, pero en el fondo «¡no tenía el menor deseo de conseguirlo!» Así que lo dejó y se puso a hacer una serie de cosas aleatorias como trabajar de voluntaria, un curso de formación, trabajar en una tienda de venta al por menor en la temporada de Navidad, etc. Estos trabajos le proporcionaron espacio y confianza para descubrir las cosas que realmente le inspiraban. Una noche antes de su cumpleaños sintió que se le encendía la bombilla durante una búsqueda en Google sobre la palabra «filantropía», que le condujo a un curso de maestría en organizaciones no gubernamentales (ONG) y desarrollo. Tras completar sus estudios, descubrió el trabajo de sus sueños como directora de programas internacionales en una ONG que se dedica a ayudar a los habitantes de las comunidades de chabolas en África y Asia, para construir viviendas y mejorar su calidad de vida. Le pregunté por qué le gustaba su trabajo y me respondió: «Estoy muy a gusto donde trabajo y no siento la necesidad de preguntarme si estoy en el lugar adecuado. Sé que sí. Trabajo con personas a las que respeto y a las que me gustaría emular. Viajo y exploro lugares y culturas nuevos. Mi función actual hace que utilice todas mis aptitudes, talentos, experiencias e intereses. Siento que mi trabajo es una extensión de los estudios que he realizado: estoy verdaderamente interesada y siento curiosidad por las cosas relacionadas con mi trabajo. Siempre estoy aprendiendo algo nuevo. Tengo el privilegio de conocer algunas de las comunidades más pobres, pero más fuertes y resistentes de nuestro planeta. Y mi trabajo me recuerda que aprecie verdaderamente la gran bendición que tengo —en realidad, que todos tenemos— en comparación con la mayoría de los habitantes del planeta».

Edward lleva a Vivian a diferentes eventos sociales para que conozca a algunos de sus socios. También la lleva a la ópera. A ella le conmueve la música, y más tarde, esa noche, hacen el amor, no como cliente y prostituta, sino como amantes. Cuanto más tiempo pasa Edward con Vivian, más llega a su corazón y más se transforma por el amor que siente por ella. Poco a poco va dejando de ser un hombre de negocios implacable para irse convirtiendo en un hombre con corazón, y en la escena final, Edward se enfrenta al vértigo que padece subiéndose a una escalera de incendios con una rosa en la boca para cortejar a su querida Vivian.

Eros puede fluir a través de cualquier tipo de trabajo. El tipo de trabajo no es lo que importa. Lo que importa es si sientes pasión por el mismo. Cuando te gusta lo que haces, Eros fluye a través de ti y llega a las personas que tienes a tu alrededor a través de tu trabajo.

## El trabajo como amor en acción...

En 2001 visité por primera vez la Fundación Findhorn en Escocia, fundada por Peter y Eileen Caddy y Dorothy Maclean. Me enamoré del sitio, y desde entonces he estado muchas veces. La comunidad de la Fundación Findhorn se ha convertido, desde sus orígenes, en la década de 1960, en un experimento vivo de vivir conscientemente. La comunidad cuenta con un centro de educación, un centro de arte, una ecovilla y más de treinta organizaciones diferentes y negocios independientes. La comunidad está situada principalmente en The Park, Findhorn y Cluny Hill College, de la cercana localidad de Forres, pero también abarca a las personas, negocios y organizaciones que se encuentran en un radio de ochenta kilómetros a la redonda. También hay comunidades satélite en las islas de Iona y Erraid de la costa oeste de Escocia.

La comunidad Findhorn se basa en unos pocos principios esenciales que fomentan la escucha profunda interior y actuar desde ese centro de sabiduría interior; la cocreación con la inteligencia de la naturaleza; el trabajo como amor en acción y el servicio para mejorar el mundo. La comunidad mantiene una visión positiva del mundo y promueve, inspira, educa y fomenta nuevas formas de vida y de trabajar juntos. Diariamente, sus miembros trabajan juntos, meditan juntos, cultivan y preparan la comida juntos, construyen casas juntos, reciben a los invitados juntos y cantan, bailan y festejan juntos.

Cuando fui en 2001, era invierno y parecía un paraje de cuento de hadas con nieve y hielo por todas partes. Trabajé durante una semana en el huerto y a veces en la cocina. Aunque hacía un frío gélido, me gustaba trabajar en el huerto. Reinaba un gran espíritu de camaradería y de tener un objetivo en común. Antes de cada sesión de trabajo, el grupo se reunía formando un círculo en silencio y bendecía el trabajo que se iba a hacer. Hasta entonces nunca había trabajado de ese modo. En la cocina también había silencio y se bendecía el trabajo antes de iniciarlo. Después de preparar cada comida se realizaba un ritual colectivo de bendición que incluía a las personas que iban a degustar esa comida. Esa forma de trabajar me ayudó a abrir los ojos. La buena noticia es que tú también puedes experimentar eso, si lo deseas. La Fundación Findhorn ofrece regularmente la Semana de Experiencia, en la que puedes salir de tu rutina y tener la vivencia de una comunidad consciente y del trabajo como amor en acción. Puedes experimentar el trabajo como amor en acción y combinar el trabajo con el silencio, la risa, las bendiciones, la amistad y toda una nueva forma de ser. Si nunca has experimentado el trabajo como amor en acción, ¡te recomiendo que lo pruebes!

Tengo la suerte de trabajar para una organización que se basa en la idea de que el trabajo es amor en acción. Alternatives es una organización sin ánimo de lucro cuya sede se encuentra en Saint James's Church, Picadilly, Londres. Durante los últimos treinta años, ha estado promoviendo actos con una diversa gama de escritores y maestros en los campos de la espiritualidad y del desarrollo personal. Lo que más me gusta de Alternatives es que es coherente con el mensaje de esperanza que intenta difundir en el mundo. Una sencilla forma de hacer esto es a través de una norma que nos obliga a que salgamos de la oficina dos veces al día para tomar té todos juntos. Es una sencilla pero eficaz forma de controlar la asistencia, de forjar amistad y conectar con los compañeros, de abordar cualquier tema antes de que se convierta en un drama, de crear espacio para hallar soluciones creativas a las dificultades y para nuestras ideas imaginativas para nuevos acontecimientos o proyectos.

Otra de las formas en que intentamos trabajar con el principio de «el trabajo es amor en acción» es celebrar cuando llegan o se marchan personas de la organización. Hacia finales de 2010, una de nuestras directoras decidió abandonarnos para dedicarse a otras cosas. Las semanas antes de su marcha recibió muchos correos electrónicos de compañeros y personas a las que había conocido a través de Alternatives, elogiando su trabajo y deseándole lo mejor para el futuro. Unos días antes de su fecha de partida, la llevamos a cenar a un restaurante elegante y le organizamos una fiesta. Se emocionó mucho y se puso a llorar por la «maravillosa» despedida. Al poco tiempo, decidimos contratar a dos personas más y entrevistamos a varios candidatos. En las entrevistas encendimos unas velas, pusimos un incienso suave y les dimos a todos una calurosa bienvenida. Todos se emocionaron mucho, después nos dijeron que nunca habían tenido una experiencia de entrevista de trabajo tan «positiva».

## El Eros y los valores...

No podemos hablar del amor en el trabajo, sin hablar de los valores. Cuando trabajemos de acuerdo con nuestros valores, amaremos nuestro trabajo.

Diane es madre de tres hijos y también ejerce como terapeuta de terapias alternativas a tiempo parcial. Trabaja en un centro para enfermos terminales haciendo masajes de reflexología y aromaterapia para pacientes de cáncer y con enfermedades degenerativas motoras. Le pregunté qué era lo que más le gustaba de su trabajo y me respondió: «Hablar con las personas y contribuir a que se sientan mejor con ellas mismas».

A Janet le encantan la contabilidad y las finanzas. Cuando le pregunté qué era lo que más le gustaba de su trabajo, me dijo: «El reto de resolver problemas, de ajustar los balances de cuentas, descubrir ingresos que faltan, hacer ajustes y luego, *voilá*, la perfección cuando los informes financieros cuadran. La belleza y el reto de organizar una contabilidad enredada, de coger pilas de recibos, facturas y extractos y organizarlos, entrar los datos, y al final hacer los informes financieros y los balances de cuentas con todo organizado y archivado».

Jeremy trabaja por cuenta propia como recadero y se pasa el día conduciendo por Londres para entregar paquetes. Le conocí entregando un montón de cajas en nuestras oficinas y le ayudé a descargarlas. Enseguida me sentí atraído por su alegría natural y le pregunté si le gustaba su trabajo. Sentí curiosidad porque había conocido a muchas personas que hacían este trabajo y que parecían estar resentidas con lo que hacían. Me contó que hacía treinta años había estudiado derecho y que, tras su periodo de prácticas después de licenciarse, se dio cuenta de que no estaba hecho para trabajar encerrado. Así que empezó a trabajar en otras cosas, hasta que al final montó una inmobiliaria que le dio suficiente dinero para viajar. Viajó por el mundo con su furgoneta camper, vivió en Canadá durante un tiempo y ahora estaba disfrutando de vivir al aire libre haciendo de recadero.

Amanda tiene experiencia como agente inmobiliaria, publicista y venta al por menor. También adquirió una gran experiencia en cuidados de enfermos como cuidadora de su esposo. Tras la muerte de éste, quería dedicarse a una causa superior. Se marchó del Reino Unido y se fue a África Occidental para trabajar con los refugiados repatriados. Amanda valora la justicia social y la igualdad.

A Sue le gusta trabajar con gente joven. «Son rebeldes y casi siempre están llenos de energía, me encanta incitarles y animarles. Les digo que no tienen por qué aceptar el statu quo, les enseño los límites de las personas, porque eso es lo que más necesitan, después del amor y de la aceptación. También les enseño a probar y a equivocarse, que es la mejor forma de aprender.» El motor que impulsa a actuar a Sue es su amor por la enseñanza, por inspirar y por cambiar vidas.

A Debra le encanta organizar eventos y trabaja con oradores que hablan del desarrollo personal y espiritual. Le pregunté qué era lo que más le gustaba de su trabajo, y esto fue lo que me respondió: «Me encanta organizar y promover acontecimientos, conocer personas y recibir comentarios positivos de las personas que han asistido. Me encanta ayudar a las personas, ésta es mi aportación al mundo». A Debra le mueve lo que ella valora de la inspiración, el aprender, la comunidad y la espiritualidad.

Michael siente pasión por las ventas. Cuando le pregunté por su pasión, me dijo: «Yo quería ser emprendedor y encontré la empresa más emprendedora inimaginable que me proporcionó experiencia en ventas y formación. Me encanta servir a las personas y conectar con ellas. Para mí, cuando las ventas se realizan bien, es como una gran orquesta sinfónica que suena afinada, interpretando cada nota a la perfección, creando una maravillosa obra maestra que hace que ambas partes se sientan agradecidas». Michael valora los negocios, la conexión con las personas y la integridad.

## El Eros y la inspiración...

Los valores son una de las puertas a través de las cuales puede entrar Eros y darte vida. Otra puerta es la inspiración. A lo largo de la historia, las personas creativas han utilizado su imaginación para soñar nuevas posibilidades. Hace mucho alguien tuvo la inspiración de usar un pedernal para hacer fuego. Más tarde, alguien tuvo la inspiración de inventar un arco y una flecha para cazar. Y alguien tuvo la inspiración de inventar la rueda y crear un transporte tirado por caballos. En el transcurso de las eras, la inspiración ha ayudado a crear la civilización. Todos los grandes edificios, obras de arte o música, y todos los grandes inventos surgieron en un principio de la inspiración de una imaginación creativa. En nuestro mundo moderno, las personas se sienten inspiradas para crear todo tipo de cosas. Internet empezó siendo una idea, que luego se hizo realidad. Algunas de estas inspiraciones han cambiado el curso de la historia, como la imprenta y otros objetos que se han convertido en artículos habituales. Por ejemplo, ¡en algún momento una persona se inspiró e inventó el rímel y otra las bolsitas de té!

Eros llega cuando estamos receptivos a la inspiración y esto lo conseguimos cuando abrimos nuestro canal creativo. El canal creativo se abre cuando sentimos una gran curiosidad por la vida, cuando salimos y buscamos en nuestro entorno cosas increíbles, alegres o inspiradoras. Se abre cuando soñamos despiertos, cuando expandimos nuestra imaginación creativa y visualizamos las cosas que podrían llegar a ser. Se abre cuando aprendemos a improvisar, probamos cosas y mejoramos las ideas de otros. Puede que hayas observado que tienes una mayor sensación de estar vivo cuando piensas en tus sueños o soluciones creativas. Pensar en los problemas le cierra la puerta a Eros. Sin duda lo notarás casi enseguida en tu cuerpo: si piensas en tus problemas durante unos minutos, tu cuerpo se tensará y empezarás a encontrarte mal. Cuando te suceda esto, puedes estar seguro de que Eros te está abandonando.

Eros es sensual y le gusta emocionarte a través de los sentidos. Puede emocionarte a través de una película impactante, de música evocadora, de una magnífica cena a la luz de las velas o a través de los elementos del tacto. Tu imaginación puede abrirse al tacto de una corteza, al calor del sol, al frescor del mar o al de la brisa.

Edward, un amigo mío, obtuvo su título universitario, pero «no tenía adónde ir». No tenía ni idea de lo que quería hacer. Le gustaba estar al aire libre e hizo un panfleto para ofrecer sus servicios de jardinero, que distribu-

## EJERCICIO 1

### Ábrele las puertas a Eros

- Hoy empieza a observar los colores que te despiertan la alegría.
- Lee algún libro que despierte tu imaginación y tu pasión.
- Mira alguna película que te conmueva y te inspire.
- Escucha música que te haga sentir paz, belleza o amor.
- Siéntate en un lugar soleado y disfruta de esa experiencia sensorial.
- Toca varias telas. Como satén, lana, algodón, etc.
- Prueba cosas diferentes, luego cierra los ojos y disfrútalas todavía más.
- Sal y toca un árbol, una piedra, una hoja o una flor.
- Báñate o dúchate y sé consciente del agua.
- Descubre tu sentido del olfato con alimentos, lugares, incienso, aceites esenciales, etc.
- Medita en un color o en un sonido.

## EJERCICIO 2

### Escribe un diario

Una forma de fomentar tu imaginación es escribiendo un diario. Escribir un diario puede ayudarte a aclarar tus pensamientos, necesidades y deseos. Llévalo siempre encima para apuntar cualquier idea y pensamiento que tenga relación con tus pasiones, metas, visiones y sueños.
Aquí puedes escribir sobre:

- Lo que piensas e imaginas que te gustaría hacer; las cosas que te interesan y te entusiasman.
- Cuándo sientes más pasión.
- Las conversaciones que te inspiran.
- Una película o un libro que te haya conmovido.
- Una persona o personas con las que te gusta estar.
- Las personas que te apoyan emocionalmente.
- Un espacio que te ayuda a sentirte creativo, abierto o agradecido.
- Cuando sientes que fluyes más.

---

yó en un par de centenares de buzones. Nunca había cuidado un jardín, pero había leído muchos libros y pensó: «Esto no puede ser muy difícil». ¡En un par de meses, el negocio empezaba a funcionar y se estaba ganando «un buen sueldo»! Pero la jardinería le parecía un trabajo solitario; entonces, recordó su sueño de niño de montar un café. A Edward le encantaban las «cucharas grasientas*», las mesas de formica y, sobre todo, el ambiente de los cafés tradicionales para trabajadores. Encontró trabajo en un restaurante americano en Covent Garden, en Londres, y empezó a voltear hamburguesas como *chef* de platos combinados. Se divertía en su trabajo, y pronto comenzó a salir de fiesta con sus «compañeros volteadores de hamburguesas»

---

* Expresión anglosajona para referirse a los cafés-restaurantes económicos donde comen trabajadores. *(N. de la T.)*

cuando terminaban su jornada laboral. Por primera vez tenía un trabajo que le gustaba. En cuestión de meses estaba dirigiendo ese restaurante y tenía la aspiración de abrir el suyo propio. Averiguó cómo funcionaban los restaurantes, y lo más importante: aprendió a cocinar. Tres años después hizo realidad su sueño y abrió un restaurante en el mercado de frutas y verduras de Berwick Street, en el Soho. Han transcurrido trece años y su café todavía es muy popular, él sigue trabajando allí y está encantado.

## El Eros y el entusiasmo...

Joseph Campbell fue un aprendiz durante toda su vida y un maestro del espíritu humano y de mitología: no sólo de mitología de culturas ya desaparecidas, sino del mito vivo. El mito viviente se da a conocer a través de cualquiera que se haya estudiado a sí mismo y haya descubierto su verdadera pasión. La pasión busca manifestarse en el mundo. Joseph Campbell denominó al proceso de comprometerte con tu pasión en el mundo «seguir tu dicha». Esta idea de seguir tu dicha no se basa sólo en hacer lo que te gusta, sino en conocer cuál es tu pasión —qué es lo que te entusiasma—, ya sea un negocio, el coaching, la danza, la ingeniería, el deporte, viajar o escribir, y luego entregarte a ello. Seguir tu dicha puede ser difícil.

Una persona que siguió su dicha y su verdadera vocación es Matthew Fox. Matthew sintió la llamada hacia el sacerdocio y entró en la orden de los dominicos. En el seno de la Iglesia se licenció en filosofía y teología, y se doctoró en espiritualidad. Al seguir su dicha, posiblemente, se convirtió en el teólogo más importante y controvertido de nuestro tiempo. No fue un camino fácil, pues con los años desarrolló ideas que desafiaban la esencia de la doctrina católica oficial. Entre las enseñanzas más controvertidas de Matthew, estaba la creencia en la «bendición original», que se convirtió en el título de uno de sus libros más famosos. Este concepto atacaba directamente la creencia principal de la Iglesia de que todos nacemos con el «pecado original». Argumentó que faltaba un cuarto elemento en la Trinidad Cristiana, concretamente, la figura de la Madre, el aspecto femenino, que es el cuerpo, el instinto, la materia y la naturaleza. Por otra parte, su actitud de igualdad, compasión y justicia social hacia los homosexuales le provocó conflictos con las autoridades eclesiásticas. No es de extrañar, que le obligaran a dejar la orden de los dominicos por «desobediencia». A día de hoy, Matthew Fox se ha convertido en una figura importante en Creation Spirituality, y su libro *The Reinvention of Work* ha sido esencial para definir ese movimiento. Tras escuchar una conferencia de Matthew sobre *The Reinvention of Work*, salí de la sala con el deseo de que hubiera más personas visionarias y apasionadas como él en la Iglesia. ¡No me cabe la menor duda de que, si las hubiera, todavía sería un cristiano practicante! Matthew afirma que la vida y la forma de ganarse la vida se basan en el espíritu y defiende que todo trabajo ha de ser digno. Lo más importante es que prevé un mundo laboral donde el intelecto, el corazón y el cuerpo estarán felizmente unidos.

Seguir nuestra dicha siempre supone un reto, pero ésta es la forma de sentirnos material y emocionalmente realizados. En su libro *The Millionaire Mind*, Thomas Stanley estudió la psicología de ser millonario. Entrevistó a más de setecientos millonarios para conocer sus actitudes, creencias y estilos de vida. Descubrió que una creencia común en este colectivo era que la forma de conservar la riqueza y disfrutar de la vida era sintiendo pasión por lo que hacían. Sentían que cuanto más amaban su trabajo, más destacaban en el mismo y más fácil era que atrajeran recompensas. Independientemente de cuál sea tu situación actual, lo primero que has de hacer es darte cuenta de que nunca es demasiado tarde para hacer lo que te gusta. Lo siguiente que has de hacer es encontrarlo por ti mismo. La respuesta está dentro de ti y lo sabrás cuando Eros te alcance.

Otra persona puede pensar que sabe lo que has de hacer en tu vida, pero si no sientes nada cuando te habla de esa posibilidad, Eros te está diciendo que eso no es para ti. Del mismo modo que sucede con la intuición, Eros te habla a través de tu vitalidad. Te hablará a través de este canal si le invitas y se lo permites. Eros habla a cada persona directamente. No hay dos personas que respondan igual. Nadie mejor que tú sabe qué es lo que hace que te dé un vuelco el corazón. Lo otro que debes conocer sobre Eros es que puede estar contigo durante un tiempo y luego marcharse. Quizás un proyecto o un trabajo te proporcionan una gran cantidad de vitalidad y luego al cabo de un tiempo deja de ser así. Eros se ha ido, y por más que intentes reinventar

**SABES QUE EROS TE HA ALCANZADO CUANDO...**

- Te sientes totalmente vivo, lleno de energía y dentro de tu cuerpo.
- Sientes plenamente el momento.
- Sientes que vibras a una frecuencia más alta de lo normal.
- Ves las cosas más claras, como si se hubiera levantado el telón.
- Puedes estar horas hablando de lo que te gusta.
- Sientes que el tiempo deja de existir.
- Te encuentras en un nuevo nivel de creatividad.
- Empiezas a pensar, sentir y actuar de una forma nueva.
- Sientes que tienes un guía invisible.

su papel no volverá. Ésta es una clara señal de que tienes que seguir adelante. Quizás Eros te esté indicando que tienes que encontrar otro trabajo que tenga más sentido y sea más satisfactorio. Quizás Eros te esté indicando que quiere que vuelvas a estudiar, que montes un negocio o que te vayas a otra parte.

Raphaelle desempeñaba un trabajo administrativo relacionado con el desarrollo exterior en el que estaba sometida a mucha presión. Era una profesión por la que había sentido una cierta pasión y en la que había prosperado. Pero en el fondo le faltaba algo: su trabajo no era muy divertido y no satisfacía sus facetas creativa y artística. «Fue difícil tomar la decisión de abandonar una carrera en la que había trabajado tanto, donde me había ganado el respeto, tenía un buen sueldo y satisfacción intelectual. Al principio me sentía perdida cuando pensaba en cómo me iba a ganar la vida haciendo lo que realmente me gustaba. A esto siguió un período interesante y difícil. Vendí mi casa, acepté algunos trabajos a tiempo parcial que con frecuencia me parecían aburridos y frustrantes, aunque no siempre, ¡a veces tenía suerte! Tuve tiempo para dedicar más energía a desarrollar mi aspecto creativo. Retomé mis clases de piano: no había tocado desde que me licencié. De algún modo, vi claro cuál iba a ser el paso siguiente en esta fase. Ahora tengo una pequeña escuela de piano que funciona muy bien. Al final, el factor más importante en mi decisión fue actuar siguiendo los dictámenes de mi corazón. Básicamente, tengo más tiempo... para mi vida hogareña, para mi vida artística y para mi vida espiritual. ¡Es maravilloso!»

## El Eros y soñar...

Picasso dijo una vez: «Los sueños son como los cuadros de un gran artista. Tus sueños son tus cuadros; el mundo es tu lienzo». Los sueños son la forma en que moldeamos conscientemente nuestro destino.

El futuro está abierto; de nosotros depende crearlo. Cuando entrenamos a nuestra mente consciente a concentrarse en la posibilidad, en lugar de hacerlo en los problemas, prácticamente todo es posible. Hay muchas razones por las que es importante soñar: un sueño impactante nos ayuda a concentrarnos en el futuro y a alejarnos de las preocupaciones del presente y del pasado; un sueño impactante crea estados psicológicos positivos; un sueño impactante deja volar tu imaginación; un sueño impactante te marca un rumbo y unas directrices en tu vida; un sueño impactante te ayuda a liberar tus dones y talentos ocultos; un sueño impactante te ayuda a trabajar de acuerdo con tus valores.

Hay una gran diferencia entre soñar y fantasear. Los soñadores avanzan hacia sus visiones, mientras que los fantasiosos intentan huir de la realidad. Los soñadores no postergan, no pierden la concentración, ni permiten que las opiniones ajenas les distraigan. Los soñadores principalmente se centran en el «qué». Pensar en el «cómo» demasiado pronto impide que la visión se materialice. Cuando la visión es amplia y firme, el «cómo» pronto se materializará.

### El tablón de la visión

Para permitir la llegada de Eros hemos de practicar el arte de soñar. Un método muy práctico de practicar el sueño consciente es utilizar un instrumento denominado la técnica del tablón de la visión. Con esta técnica no tienes que visualizar nada. Un tablón de la visión simplemente es una representación visual o *collage* de las cosas que deseas tener, ser o hacer en tu vida. Un tablón de la visión es una de las mejores formas de aclarar tus sueños y metas. Es un póster en el que pegarás recortes de fotos, dibujos y/o palabras que describan las cosas que deseas conseguir en tu vida o lo que quieres llegar a ser. Puesto que tu subconsciente trabaja con formas e imágenes, el tablón de la visión es muy efectivo. Las imágenes en este ejercicio transmiten un conjunto claro de instrucciones a tu subconsciente; las imágenes deberán proporcionarte felicidad y pasión para que puedas avanzar hacia tus metas y sueños.

Woodrow Wilson dijo una vez: «Los sueños nos engrandecen. Todos los grandes hombres son soñadores. Ven cosas bajo la suave calima de un día de primavera o bajo el fuego rojo del hogar en una larga tarde invernal. Algunos dejamos morir esos sueños, pero otros los nutren y protegen; los cuidan en los días malos hasta que consiguen sacarlos al sol y a la luz que siempre se proyecta sobre los que sinceramente esperan que sus sueños se hagan realidad».

Cuando soñamos, estamos usando nuestra imaginación para permitir que Eros active los recursos del inconsciente, que son muchos. Para que te hagas una idea de lo que quiero decir, te contaré la historia de un conocido actor cómico, Jim Carrey. Al principio de su carrera era un joven cómico que intentaba abrirse camino en Hollywood. Estuvo a punto de darse por vencido y abandonar su sueño de ser un actor y cómico profesional. Sólo había actuado en una sesión de micrófono abierto en un *night club* de Los Ángeles y el público le había abucheado. Se sentó en la cima de Mulholland Drive y se puso a contemplar la ciudad que estaba bajo sus pies: la ciudad encerraba su fracaso o su éxito. Entonces se sacó su talonario de cheques y se hizo un cheque a sí mismo por valor de diez millones de dólares y se escribió una nota: «Por los servicios prestados como actor». A partir de ese día llevó ese cheque en su cartera.

Jim Carrey activó el poder de su subconsciente. Ésta es sólo una historia de las muchas que podría contar aquí. Para activar los recursos de tu subconsciente, empieza a pensar en tu sueño como si ya se hubiera hecho realidad. Empieza a soñar despierto con las imágenes, sonidos, sentimientos y palabras. Es una gran costumbre que hay que desarrollar, puesto que le da

## EJERCICIO

### Crea un tablón de la visión

Un tablón de la visión es un gran medio para ser un poco más creativos y estar más concentrados en lo que queremos crear. Puedes preparar tu tablón para tu trabajo, tus relaciones o para un proyecto nuevo.

**Materiales**. Básicamente, lo que necesitas es un tablón para la base, unas cuantas revistas de diversos tipos que contengan variedad de fotos e imágenes positivas y vistosas. Necesitarás una foto tuya, tijeras y pegamento.

1. Siéntate a meditar y piensa en todas las cosas que te gustaría atraer o crear en tu vida y en tu trabajo. Déjate llevar por tu entusiasmo en silencio. Juega con tu imaginación y con distintas imágenes mentales. Juega con imágenes literales, como que te ofrecen un trabajo específico en una empresa específica. Juega también con imágenes metafóricas como una rosa roja, para más amor, una estrella dorada para más éxito, un puñado de joyas para la abundancia, una tela de araña brillante a la luz del sol para unas relaciones más auténticas, etcétera.
2. Revisa las revistas y corta las imágenes que más se adaptan literal o metafóricamente a las imágenes mentales de lo que deseas atraer o crear en tu vida. Crea una pila de fotos.
3. Pega tu foto en el centro del tablón. Luego empieza a crear un collage de imágenes en torno a esta foto central. Elige las fotos del montón y siente intuitivamente cuáles son las adecuadas.
4. Cuando hayas terminado, cuelga tu tablón de la visión en un lugar donde puedas verlo con frecuencia. Quizá junto a tu cama para que sea lo último que veas y pienses antes de adentrarte en el estado de sueño y lo primero que veas al abrir los ojos por la mañana.

claras instrucciones a tu subconsciente respecto hacia dónde quieres ir exactamente en tu vida. A cualquiera que esté interesado en el rendimiento y los resultados, ésta le parecerá una muy buena técnica. Por ejemplo, los atletas de élite la utilizan para mejorar sus marcas en el campo. Los mejores golfistas visualizan el golpe antes de golpear la bola, y los mejores futbolistas se imaginan marcando el gol antes de que suceda. Los actores utilizan este método para ensayar mentalmente lo que quieren experimentar. Si te puedes imaginar moviéndote por la obra, interpretando tu guión y finalizando con un clamoroso aplauso, estarás creando un plan en tu subconsciente. Este método es estupendo cuando tienes que asistir a una entrevista de trabajo. Si te puedes imaginar una entrevista brillante, respondiendo a todas las preguntas justamente como tú deseas y luego escuchando que te han ofrecido el puesto, esto te dará confianza en ti mismo. Yo he utilizado este método con excelentes resultados con bastantes de mis clientes de coaching.

## EJERCICIO

### Sueño multisensorial

Afirma tu sueño —lo que quieres crear o experimentar— con palabras positivas. No lo hagas con frases como «No quiero crear *x*», más bien di, «Quiero crear *y*». El subconsciente no comprende la negación. No pienses en un *flamenco rosa planeando en la habitación en estos momentos*, porque al hacer esto tu subconsciente simplemente crea la imagen de un *flamenco rosa planeando en la habitación*.

1. Describe tu resultado positivo o sueño en un lenguaje sensorial, es decir, describe lo que ves, oyes, tocas y hueles cuando experimentas la realización de este sueño.
2. Imagina que describiendo tu sueño con palabras como «cuándo», «dónde», «cómo» y «con quién» crearás el resultado deseado.
3. Imagina que conviertes el resultado de tu sueño en tu imaginación en una película corta. Imagínate que estás en un cine mirando la película y que actúas en la misma. Al cabo de unos minutos imagina que sales de la película y experimentas el sueño como si estuviera sucediendo a tu alrededor.

## ¡PIENSA, REFLEXIONA E INVESTIGA!

**Piensa.** Has de pensar en todo lo que has conseguido hasta ahora, las habilidades y la formación que has ido aprendiendo en tu camino, los recursos que has desarrollado. Piensa también en tus áreas de trabajo ideales, en tu horario laboral ideal, en el salario mínimo que necesitas para vivir bien, en el tiempo máximo que quieres emplear para desplazarte al trabajo, en las habilidades que te gustaría desarrollar, si quieres ser empleado o trabajar por tu cuenta como autónomo, o una combinación de las dos cosas. Piensa qué deberías tener para que tu trabajo fuera ideal para ti. ¿Quieres descansar durante un tiempo?

**Reflexiona.** Debes reflexionar sobre tus sueños, visiones, valores, pasiones y tus intenciones más profundas. Pregúntate qué es lo quc inspira tu imaginación y qué es lo que te aporta más felicidad en el mundo.

**Investiga.** Lee artículos o libros, participa en seminarios y reúnete con grupos de redes sociales, habla con tus amigos, intercambia opiniones con otras personas, pide ayuda o consejo, haz un test para conocer tu perfil profesional. Cuando investigues, haz también algo distinto y observa cómo te sientes.

## Declaración de intenciones

1. Estoy dispuesto a presenciar y a transformar todo el sufrimiento que surge en mi trabajo. Estoy dispuesto a liberarme de la limitación de todos mis condicionamientos, creencias, suposiciones, pactos inconscientes, obligaciones, dramas, de la actitud de perseguidor, salvador o víctima que me bloquean.
2. Estoy dispuesto a ser más auténtico, estar más presente, ser más consciente en mi vida y en mi trabajo. Estoy dispuesto a dejar de confiar excesivamente en vivir con el piloto automático. Estoy dispuesto a ser totalmente yo mismo.
3. Estoy dispuesto a transformar mi actitud y mi perspectiva en mi trabajo. Estoy dispuesto a afrontar todos mis temores sobre el presente y el futuro. Estoy dispuesto a ver un futuro brillante, expansivo, incitante y esperanzador abriéndose ante mí.
4. Estoy dispuesto a reconocer que mi tiempo en la Tierra es limitado. Estoy dispuesto a reconocer que mi tiempo es muy valioso. Estoy dispuesto a utilizar mejor mi tiempo.
5. Estoy dispuesto a aceptar la totalidad de mis dones, recursos, aptitudes y talentos. Estoy dispuesto a utilizar mi intelecto con mi imaginación y mi intuición. Estoy dispuesto a desarrollar mis aptitudes. Estoy dispuesto a encontrar mi lugar en el mundo. Estoy dispuesto a escuchar la información que recibo y a utilizarla correctamente.
6. Estoy dispuesto a divertirme, a estar de buen humor, a reírme y al juego creativo en mi trabajo. Estoy dispuesto a no tomarme tan en serio.
7. Estoy dispuesto a divertirme, a jugar y a que entren en mi vida personas positivas. Estoy dispuesto a abrirme y a conectar de verdad con otros exploradores y pioneros de los campos que he elegido.
8. Estoy dispuesto a que mi trabajo sea una historia de amor. Estoy dispuesto a descubrir mis verdaderos principios. Estoy dispuesto a que el entusiasmo y la alegría entren en mi trabajo. Estoy dispuesto a disfrutar con lo que hago. Estoy dispuesto a que se me revele cuál

va a ser el trabajo de mi vida. Estoy dispuesto a soñar con mi trabajo hasta que se haga realidad.

9. Estoy dispuesto a fluir como el agua en vez de luchar. Estoy dispuesto a actuar sin esfuerzo de acuerdo con mis verdaderos principios. Estoy dispuesto a estar en el lugar correcto en el momento correcto. Estoy dispuesto a que mi trabajo se desarrolle con facilidad y gracia. Estoy dispuesto a trabajar con más dicha si cabe.
10. Estoy dispuesto a emprender este viaje y encontrar mi propio camino. Estoy dispuesto a confiar en mi guía interior y a terminar este viaje, dondequiera que me lleve.

# 11

# La dicha en el trabajo

«Lo que para la oruga es el fin del mundo,
para el Maestro es la mariposa.»

RICHARD BACH

Se dice que cuando el príncipe Siddhartha se sentó bajo el árbol de la Bodhi y empezó a meditar, su mente se enfrentó a imágenes de seres aterradores, que le lanzaban lanzas, flechas de fuego, rocas enormes y lluvias de fuego. Al rato de estar meditando, las armas se convirtieron en una lluvia de perfumadas flores, los devastadores fuegos se convirtieron en palpitantes arcos iris. Luego su mente sufrió el ataque de imágenes de muchas mujeres hermosas: él siguió meditando hasta que desaparecieron todos esos espejismos. Por último, cuando concluyeron todas esas pruebas y abrió los ojos, era el Buda o «El Iluminado». Su mente estaba clara y tenía una visión profunda de la naturaleza de la realidad. Vio que todas las cosas, desde una ínfima mota de polvo hasta la estrella más brillante, estaban interconectadas en un patrón de cambio constante. Vio la impermanencia de todas las cosas, incluido lo que consideramos el yo. También vio que todos los seres sensibles encerraban el potencial del despertar. A partir de ese momento viajó durante cuarenta y cinco años por el valle del Ganges enseñando el *Dharma* de la liberación, la atención plena, la compasión y el despertar.

**LAS CUATRO POSIBILIDADES**

1. Existe la posibilidad de que en algún momento sufras física, emocional, mental o incluso espiritualmente en tu trabajo.
2. Existe la posibilidad de que transformes tu sufrimiento y que lo trasciendas para explorar una visión nueva, más saludable y optimista.
3. Existe la posibilidad de que conozcas tu verdadera naturaleza, tengas más recursos, juegues en vez de matarte trabajando, sepas cuáles son tus auténticos valores, sigas la dirección correcta y encuentres o crees el trabajo que deseas.
4. Existe la posibilidad de que aprendas a fluir, actúes sin esfuerzo, estés abierto a la gracia y se despierte en ti la dicha en tu trabajo.

## Nuestro potencial para la dicha...

Ananda era uno de los discípulos más cercanos del Buda. Se le conoce como el Guardián del Dharma (*dharma* significa enseñanza o camino). Ananda procede del sánscrito y significa «dicha», que es un estado de dicha, alegría y satisfacción profunda.

La mayoría de las imágenes del Buda le muestran en un estado de paz o alegría. La dicha es vivir en el momento presente, en vez de vivir en un pasado o futuro imaginario. La dicha es experimentar el cielo en la tierra. Bajo los estados de sufrimiento existe el potencial para la dicha. La dicha tiene un aspecto interno y otro externo. Podemos sentir dicha sin motivo alguno. Y podemos sentirla cuando estamos haciendo algo que despierta en nosotros un profundo sentimiento de alegría como meditar o trabajar en lo que nos gusta. Hablando en términos espirituales, la dicha es un estado interior que no depende de ninguna condición externa.

Cuando el Buda despertó, tuvo la visión profunda de la naturaleza de la realidad y vio que contenía tres aspectos. Éstos ahora se conocen como los sellos o las marcas del *Dharma*. El primero es que toda vida es impermanente y está sujeta a las fuerzas del cambio. Cuando contemplamos el mundo, podemos ver que nada sigue igual: el sol sale y se pone, al invierno le sigue la primavera, los niños nacen y crecen, se construyen edificios y con el tiempo se agrietan y se derrumban. Esto no es algo que pueda alterar ninguna creencia. Puedes creerte inmortal, pero eso no te aísla de la mortalidad.

El segundo aspecto que observó el Buda fue que no existe un yo fijo e inmutable: lo que consideramos como nuestra personalidad o «yo» también cambia. De nuevo, esto no es algo que pueda alterar ninguna creencia. Es evidente que cuando tenías seis años pensabas y actuabas de forma diferente que cuando tenías dieciocho. Con tu amante piensas, sientes y actúas de una forma muy distinta a como actúas con tus enemigos. Cuando sientes que estás cumpliendo con tu destino en la vida, piensas, sientes y te comportas de un modo muy distinto que cuando no tienes metas y andas sin rumbo fijo. Todos cambiamos: no hay un yo fijo e inmutable.

El tercer aspecto que observó el Buda fue que todas las cosas encerraban el potencial de la liberación, del despertar y de la dicha. A este potencial lo llamó nirvana. El Buda tuvo la visión de un estanque lleno de flores de loto. Unas todavía estaban en forma de semilla en el lodo del fondo del estanque. Otras habían despertado y asomaban por la superficie del estanque. Y otras habían florecido y flotaban con toda su belleza sobre el agua. Este florecimiento es un estado de «consciencia luminosa» que indica el final del sufrimiento y el despertar de la dicha. Los tibetanos se refieren a esto como la luz interior o brillo puro. Dicen que es una «luminosidad fundamental», pues es la esencia de nuestra existencia. No hay nada antes ni después de la misma. El lama Surya Das dice: «Esta luminosidad no nace ni muere».

Es interesante recordar que muchos budistas creen en la universalidad del sufrimiento y la enseñan. Según mi punto de vista, esto es un error, pues el sufrimiento no es un aspecto universal de la realidad, sino más bien algo generado por nuestra actitud y reacciones habituales frente a la realidad. ¿Podemos decir que una flor sufre cuando florece bajo los rayos del sol? ¿Podemos decir que un niño sufre cuando su madre lo abraza cariñosamente? ¿Podemos decir que un adulto sufre cuando está en la naturaleza observando un hermoso amanecer? Por otra parte, ¿podríamos decir que una flor, un niño y un adulto tienen el potencial para el despertar? Una flor puede despertar de su estado de semilla. Un niño puede florecer con amor. Un adulto puede despertar en un momento de realización. El Buda vio que todos los seres sensibles tenían el potencial para despertar a la dicha. Ésta es la enseñanza de la universalidad del despertar. En tu interior está la semilla del despertar que puede florecer a través de tu trabajo hasta convertirse en una hermosa flor. Podemos regar esta semilla todos los días para que despierte.

## La dicha en acción...

La acción es lo único que no cambia a través de todas las eras laborales. La acción es tan importante para el cazador-recolector como lo es para el trabajador cualificado. En la década de 1960, hacia finales de la Era Industrial, reinaba la idea de «Conéctate, sintoniza y pasa de todo». Era una época de despertar espiritual y también de rebelión contra el estilo autoritario de la era del trabajo que estaba finalizando. El movimiento actual hacia la liberación personal encajaría más con el lema siguiente: «Conecta, sintoniza y sal». La mayoría de los pioneros espirituales han abandonado la idea de que hemos de pasar del mundo para encontrar la libertad personal. Por supuesto, hacer breves retiros de vez en cuando para aislarte del mundo puede rejuvenecer tu espíritu, pero retirarte por largo tiempo no es el espíritu de la era que está emergiendo.

El trabajo implica acción y compromiso con el mundo. Está la rutina de la acción cotidiana, y está la acción que nos ayuda a trascender lo que conocemos. Las acciones cotidianas incluyen levantarse, cepillarse los dientes, desayunar, llevar a los niños al colegio, desplazarse para ir a trabajar, empezar a trabajar, hacer un descanso a media mañana para tomar un té, etc. Las acciones que te ayudan a trascender lo que conoces incluyen tomarte tiempo libre, cambiar tu conducta y forma de relacionarte con tu trabajo, decir algo que hacía mucho tiempo que era necesario decir, y avanzar con coraje en una nueva dirección.

La acción puede ser un medio de liberación y de nuevas posibilidades o puede conducirnos a estancarnos más en nuestros patrones habituales y en el sufrimiento. Para las personas con una mentalidad innovadora, el trabajo en la actual Era de la Información Virtual es apasionante. Ahora es más fácil que nunca poner enseguida en práctica las ideas creativas. Ahora es posible convertir rápidamente las ideas en un producto o servicio *online*. Mi experiencia personal en este campo es que, aunque es fácil ganar dinero a través de Internet con una buena presentación y un buen marketing, «no es oro todo lo que reluce», puesto que hay personas cuya ética no les impide engañar a los demás. Una vez conocí a una persona aparentemente interesada en la espiritualidad que tenía una página web a través de la cual estafaba a la gente. La descripción del producto no tenía nada que ver con el producto real. Se justificaba diciendo que siempre devolvía el dinero cuando alguien se quejaba. Al final le convencieron de que no era una forma ética de ganarse la vida.

Cuando actúas guiándote por tus principios, es más probable que esas acciones te ayuden a elevarte y te aporten felicidad. Si te gusta aprender y realizas acciones para aumentar tu comprensión o desarrollar una aptitud, éstas te aportarán felicidad. Las acciones que te alejan de la comprensión o de desarrollar una aptitud no te aportan felicidad. Si valoras la espiritualidad y haces cosas para desarrollar una práctica espiritual, esto te dará felicidad. Las acciones que te alejen de desarrollar una práctica espiritual no te aportarán felicidad.

En la enseñanza del Buda sobre la acción hay un concepto básico que es el karma. Simplificando, el principio del karma es que las acciones tienen consecuencias y que éstas siguen un patrón discernible. Estas consecuencias no se limitan a esta vida. Pueden manifestarse en vidas futuras. Nuestras acciones también tienen un efecto en nuestros seres queridos y más allegados. Nuestros hijos pueden beneficiarse de acciones que se basen en el amor, el valor y la visión. Conocí a un hombre mayor que, aunque no tenía muchos estudios, tenía un espíritu emprendedor que le sirvió para crear una lucrativa empresa de importación-exportación. El negocio le permitió pagar las carreras universitarias de sus hijos, uno de los cuales había seguido su pasión y se licenció en medicina y cirugía. Cuando lo conocí, este hombre

Se cuenta que un día el Buda vio a uno de sus discípulos meditando bajo un árbol a orillas del Ganges. Se detuvo y le preguntó por qué meditaba tan intensamente. Su seguidor le respondió que estaba intentando alcanzar la iluminación para poder cruzar el río sin ayuda. El Buda le dio unas monedas y le dijo: «¿Por qué no le pides al barquero que te pase? Es mucho más fácil».

tenía setenta y pocos años. Amaba profundamente su carrera médica y todavía trabajaba de vez en cuando como asesor. También conocí a sus dos hijos, que ya rondaban los cuarenta. El hijo también había estudiado medicina y le encantaba su trabajo. La hija había estudiado económicas y trabajó en el campo editorial antes de iniciar una nueva carrera en administración

### LOS CINCO PRECEPTOS

El Buda formuló cinco principios o preceptos que has de observar cada vez que tengas que actuar en el mundo.

1. Abstente de lastimar a ninguna criatura viva: practica la compasión amorosa.
2. Abstente de tomar lo que no se te da: practica la generosidad.
3. Abstente de la mala conducta sexual: practica la amabilidad y el respeto.
4. Abstente de hacer daño con tus palabras: practica la armonía y la inclusión.
5. Abstente de tomar bebidas intoxicantes o drogas que ensombrezcan tu mente y tus sentidos: practica la serenidad y la atención plena.

médica. Me dijo que su abuelo había sido un gran hombre de negocios y un gran proveedor para la familia. Además de haber pagado la educación de sus hijos y, parcialmente, la de sus nietos, también era un gran proveedor en otros aspectos materiales. Les había pagado vacaciones y regalado pianos para que pudieran tocar música en casa. Su ejemplo empresarial había influido positivamente en toda la familia. Ahora su biznieto, que está entrando en la adolescencia, también parece llevar la semilla del espíritu emprendedor.

Como puedes ver, nuestras acciones no sólo nos afectan a nosotros, sino a todos nuestros seres queridos. También tendrán un efecto en cadena y alcanzarán a personas que apenas conocemos. Una sonrisa o una palabra amable a un extraño puede conmoverle y cambiar el curso de su día. Quizás esa persona a su vez sonría o le diga algo amable a un desconocido, y así el efecto de la acción inicial de amabilidad amorosa se transmite a todo un colectivo. En términos budistas, las acciones pueden ser hábiles o torpes, en lugar de buenas o malas. Las buenas intenciones, aunque importantes, no bastan por sí solas.

Hay un refrán que dice: «El camino del infierno está empedrado de buenas intenciones». Una acción útil es la que se realiza en un estado mental positivo. La intención positiva junto con la inteligencia, la sabiduría y la idoneidad conducen a acciones útiles. Hay muchos grados de estados mentales positivos, como la claridad, la inspiración, el entusiasmo, la amabilidad, la alegría y la visión. La acción torpe es la que se realiza desde un estado de confusión, enfado u odio. Las acciones útiles suelen conducir a resultados fructíferos y armoniosos. Las acciones torpes suelen tener resultados malos o perjudiciales. Por consiguiente, si te encuentras en un estado mental que no es positivo, es mejor que no actúes —salvo que te enfrentes a un verdadero peligro—, en su lugar practica algunos de los ejercicios y meditaciones de este libro para transmutar tu estado mental.

*«En nuestra era, el camino hacia la santidad pasa necesariamente por el mundo de la acción.»*

DAG HAMMARSKJOLD

## La dicha de fluir...

Despertar a la dicha tiene muchos elementos, incluida la capacidad de fluir en la vida. Mihaly Csikszentmihalyi, profesor de psicología de la Universidad de Chicago, estudió a personas que sabían entrar en un estado mental que él llama «fluir». Csikszentmihalyi define fluir como «el estado en que las personas están tan involucradas en una actividad que nada parece importarles; la experiencia es tan agradable que las personas la realizarán a pesar del esfuerzo, por el mero placer de realizarla».

Csikszentmihalyi observó por primera vez el estado de fluir cuando estudió a los artistas que estaban preparando sus tesis de posgrado. Los artistas cuando trabajaban parecían entrar en una especie de estado de trance. Para su sorpresa descubrió que el resultado final no era tan importante para ellos como el trabajo en sí mismo. Al principio, pensó que este estado sólo podía darse en algunas profesiones creativas, como el arte o la música. Sin embargo, tras miles de entrevistas realizadas por miembros de su equipo de investigación de la Universidad de Chicago y otros colaboradores del resto del mundo, descubrió que personas de diferentes edades, culturas y formas de vida eran capaces de fluir.

Las actividades y las razones por las que las realizaban eran infinitamente variadas, pero la calidad del placer o de la experiencia de fluir que se producía era muy similar. Cuando fluyes, no existe el reloj, no eres consciente del paso del tiempo: el músico es uno con el flujo de la música, el diseñador es uno con el proceso de diseñar y el jefe es uno con su equipo. Cuando estamos en un estado en que podemos fluir, nuestras acciones no representan ningún esfuerzo y también son más placenteras y gratificantes. Al estado mental correcto, le sigue la acción sin esfuerzo. El estudiante que se encuentra en un estado de gran curiosidad es más probable que aprenda que el estudiante que está aburrido. El jefe que cree y confía en su personal es más probable que inspire buenos resultados que el jefe que juzga negativamente a su equipo.

Fluir es estar tan absorto en una actividad que ésta se convierte en una meditación. Por ejemplo, los atletas reconocen la Zona: un espacio psicológico donde mente y cuerpo trabajan en perfecta sincronicidad y los movi-

## ACCIÓN SIN ESFUERZO – FLUIR COMO EL AGUA

**No puedes hacer que el agua fluya montaña arriba.** Cuando te des cuenta de que te estás resistiendo, postergando o forzando a hacer algo, para. Haz algo diferente, lo que sea, hasta que empieces a sentir más energía y entusiasmo por lo que estás haciendo. Esto ha de conducirte a una sensación de tranquilidad, en vez de lucha: el agua siempre fluye montaña abajo.

**No intentes empujar el río.** Cuando te esfuerzas demasiado en llegar a alguna parte, ya no estás fluyendo. Por el contrario, ve más despacio, relájate y haz menos. Está presente en el momento y economiza esfuerzo. Encuentra formas de actuar que produzcan mejores resultados. Aprende a dejar que las cosas sucedan por sí solas. Suspende todo plan o estrategia y espera a ver claro el paso siguiente.

**No intentes controlar el río.** Cuando intentas controlar a los demás o controlar tu entorno, ya no estás fluyendo. Ya no estás en armonía con tu entorno. Por el contrario, acepta que no puedes controlarlo todo; sé flexible y aprende a fluir rodeando los obstáculos con el mínimo esfuerzo.

**Fluye como el agua.** Utiliza tu intuición y actúa sin esfuerzo, no fuerces nada; trabaja en equipo con los demás; cuando sea necesario trabaja solo. Apártate de actividades que te resulten pesadas y realiza las que te agraden y sean auténticas

mientos parecen fluir sin esfuerzo consciente. La Zona es donde mejora espectacularmente el rendimiento. Según el psiquiatra deportivo Michael Larden, autor de *Finding Your Zone*: «La Zona es la capacidad para rendir al nivel más alto en cualquier campo de la vida que desees potenciar. No es un fenómeno exclusivo del mundo del deporte; la Zona existe en todos los ámbitos, incluido el mundo de los negocios, el arte, la música y los deportes. El secreto de la Zona es que no tiene secreto. Todos tenemos el potencial para acceder a ella». En 1954, Roger Bannister batió el récord de correr una milla en menos de cuatro minutos, más tarde diría: «Al no ser consciente ya de mi movimiento, descubrí una nueva unión con la naturaleza, había descubierto una nueva fuente de fuerza y belleza, una fuente que jamás hubiera imaginado que existiera».

La acción sin esfuerzo es un principio espiritual de la filosofía taoísta que nos incita a hacer una pausa, a descansar de la acción innecesaria y a dejarnos llevar por el flujo. La acción sin esfuerzo es como el agua que fluye: puede fluir alrededor de los obstáculos para llegar a su destino. El agua jamás fuerza nada, se adapta al paisaje y es tremendamente poderosa. A la acción sin esfuerzo le interesa hacer, pero no le interesa el esfuerzo, la lucha o «empujar el río». La acción sin esfuerzo es saber cuándo has de actuar y cuándo no has de hacerlo. Procede de una visión previa y de prestar atención a lo que es necesario hacer. La acción sin esfuerzo se produce cuando no interferimos en nuestro propio camino. Es como tocar un instrumento musical. Si piensas que estás tocando o te esfuerzas mucho en hacerlo, interfieres en tu propia actuación.

## La dicha de la sincronicidad...

Según Frank Joseph, autor de *Synchronicity and You*: «Las sincronicidades son pequeños milagros a través de los cuales se comunica con nosotros lo que, de no ser así, sería una Consciencia Invisible. Podemos hablar con los dioses en nuestras oraciones, pero las coincidencias importantes son el medio por el cual ellos nos hablan a nosotros». Carl Jung acuñó el término sincronicidad y lo definió como la coincidencia de dos o más acontecimientos, aparentemente no relacionados entre sí, que tienen lugar al mismo tiempo de una manera significativa. Jung creía que la vida no era una serie de acontecimientos fortuitos, sino una expresión de un orden más profundo. Una de sus citas favoritas sobre la sincronicidad es de Lewis Carroll, en *A través del espejo*. En este libro la Reina Blanca le explica a Alicia los efectos de vivir hacia atrás. «¡Vivir hacia atrás! —dice Alicia atónita—. ¡Nunca he oído semejante cosa!» La Reina le responde: «Es mala memoria la que funciona sólo hacia atrás».

En un principio, Jung se inspiró en una paciente que estaba en un *impasse* para definir su concepto de la sincronicidad. Una noche, la paciente soñó que le regalaban un escarabajo dorado. Cuando le estaba contando su sueño a Jung, algo golpeó el cristal de la ventana que estaba detrás de él. Jung se levantó, abrió la ventana y atrapó al insecto. Era un escarabajo dorado: algo muy extraño para ese tipo de clima.

La sincronicidad trasciende la causa y el efecto e indica que está actuando una inteligencia superior, una que actúa a través de la unidad fundamental de todas las cosas. La sincronicidad puede ser inquietante —porque nos demuestra que no poseemos el control absoluto sobre nuestras vidas— o algo maravilloso, según cual sea nuestro punto de vista. Carolyn North, autora de *Synchronicity: The Anatomy of Coincidence*, dice sobre la sincronicidad: «Nos da una esperanza, la sensación de que está sucediendo algo más grande, más allá de lo que podemos ver».

La sincronicidad surge de la intención: ésta es la razón por la que cada capítulo termina con una «Declaración de intenciones». Cuando cuentas con un buen conjunto de intenciones, tu subconsciente sabe lo que quieres y puede ayudarte a atraerlo a tu atención. Si lo que deseas es más alegría en tu vida y en tu trabajo, entonces, con una fuerte intención al respecto, tu subconsciente puede acaparar tu atención consciente y ayudarte a ver la alegría que tiene lugar dentro de tu realidad y en los límites de ésta. Cuando tienes la poderosa intención de crear un trabajo más significativo —siempre y cuando tengas una idea clara de lo que eso significa para ti—, tu inconsciente tendrá al menos algo con qué trabajar para ayudarte a manifestar esa intención. Una de las formas en que el subconsciente hace esto es a través de la sincronicidad. La sincronicidad nos recuerda nuestros sueños y nos revela una dirección más significativa para nuestras vidas, que no es totalmente consciente.

En realidad, mi propio viaje para encontrar un trabajo que fuera más significativo empezó con un par de momentos de sincronicidad. Yo era un gerente descontento que trabajaba para una entidad pública de mi zona y que estaba planteándose si tenía que dimitir. Quería un trabajo que tuviera más sentido para mí. No tenía muy claro lo que iba a ser, pero lo que sí sabía era que quería algo más creativo con lo que pudiera sentirme más libre y más autónomo. Le planteé mentalmente la pregunta al «Universo», y pronto recibí una serie de respuestas que me transmitieron un empático «sí», que equivalía a un «simplemente, hazlo». El poeta sufí Rumi decía que es mejor vivir las preguntas que tener siempre las respuestas. Vivir con las preguntas en vez de hacerlo con las respuestas puede resultar confuso porque implica que a simple vista no vemos la imagen completa, sólo las piezas del rompecabezas. Según David Richo, autor de *Unexpected Miracles*: «¡La sincronicidad es la sorpresa de que algo encaja de repente! Los acontecimientos sincrónicos son coincidencias o correspondencias significativas que nos guían, advierten o confirman en nuestro camino».

A veces, la sincronicidad nos ayuda a trascender nuestros miedos para perseguir un sueño superior. Un amigo le pidió a Margaret Munnerlyn Mitchell que le acompañara a ver a un editor que estaba visitando Atlanta en busca de nuevas promesas en el sur. El editor le preguntó a Margaret si se había planteado alguna vez escribir un libro y ella le respondió «no». Ese mismo día, más tarde, un amigo de Margaret se enteró de la conversación y se rió: «¡Imagínate a alguien tan tonta como ella escribiendo un libro!» Margaret se indignó tanto por el comentario que se fue a casa y sacó el manuscrito que había terminado. Llegó al hotel del editor justo a tiempo antes de que se marchara, le dejó el manuscrito y le dijo: «Aquí tiene, ¡lléveselo antes de que me arrepienta!» Margaret Munnerlyn Mitchell, ganó el premio Pulitzer en 1937, por su novela *Lo que el viento se llevó*, que quizá sea el libro más popular de todos los tiempos, con un volumen de ventas superior a los treinta millones hasta la fecha.

James quería prepararse para hacer cursos de coaching y de PNL, pero no tenía dinero: los cursos que quería tomar costaban entre cinco y siete mil libras. Entonces unos amigos le presentaron a Mike que tenía una escuela donde se impartían cursos de PNL. Los dos se hicieron amigos y un día, mientras tomaban el té, Mike le dijo «por casualidad» que su directora de operaciones le acababa de entregar su dimisión y le preguntó a James si conocía a alguien que tuviera experiencia y estuviera interesado en ese tipo de trabajo. James no daba crédito a sus oídos; resultaba que él tenía bastante experiencia en una empresa de organización de eventos y le pidió a Mike que le dejara intentarlo. Daba la «coincidencia» de que una de las ventajas del puesto era que toda la formación era gratuita. James consiguió el trabajo y también vio cumplido su deseo de formarse en coaching y PNL. Completó su formación con honores —me dijo que le encantaba— y ahora dirige su propia consulta de coaching.

La sincronicidad puede suceder en cualquier momento de nuestra vida. Conocí a Sarah en una reunión en casa de una amiga, en Bahía, hace ya algunos años y le pregunté a qué se dedicaba. Me dijo que era actriz y cantante. Me llamó la atención, y le pregunté si cantaría algo para los invitados y para mi sorpresa respondió que sí. De pronto, me quedé anonadado al escuchar el poder y la belleza de la voz de esa joven. La fiesta se detuvo y los otros invitados se congregaron rápidamente a su alrededor para ver de quién era esa increíble voz. Al poco rato, le di las gracias y le pregunté cómo había empezado en el mundo del espectáculo. «Desde que era muy joven sabía que quería dedicarme al mundo del teatro. Todo empezó cuando sólo tenía doce años, alguien me regaló un vídeo de cómo se hizo la famosa obra *Miss Saigón*. Enseguida me enamoré del papel de la protagonista. Al ser medio filipina y medio inglesa sabía que tenía los rasgos apropiados, pero lo más importante es que tenía una gran fe y confianza en mí misma. A los diecisiete años me dieron un papel en el espectáculo del West End de Londres y dos años más tarde estaba interpretando el papel de Kim, en Suecia. Cinco años después interpreté en el West End el papel principal de la princesa Anjuli en *Pavellones lejanos*. Estos papeles fueron como caídos del cielo para mí», me respondió.

*«Hoy he ido al embarcadero*
*inspirada por los rayos dorados,*
*y suspendida sobre la matriz acuosa,*
*respirando la bruma del océano y la luz solar,*
*de pronto he despertado.»*

KATIE GALLANTI

## Despertar a la dicha...

Hablando en plata, vivimos en una época en que los mercados laborales son muy volátiles: todo cambia a una velocidad vertiginosa. Un plan bien concebido puede quedar desfasado en cuestión de meses. Ésta es la razón por la que tener una intención clara es mejor que tener un plan fijo. Con una intención tenemos muchas rutas para llegar al resultado final. Con un plan hay menos flexibilidad y menos opciones. Curiosamente, no hace mucho, leí que el director general de Google había dicho que la empresa tiene una misión clara, pero no un plan. Visto su increíble éxito creativo y económico, ¡creo que no tener un plan no es una mala idea!

Ya hemos visto los beneficios de adoptar una actitud lúdica en el trabajo. Uno de los grandes beneficios de esto es que nos prepara para vivir sin tener que saber qué es lo que nos espera. Es una gran habilidad que está cobrando mayor importancia dado que el trabajo es cada vez más impredecible. Nadie sabe lo que va a suceder al año siguiente o al otro, mucho menos lo que sucederá la próxima década. Muchas veces, la realización personal, el amor y el éxito llegan a nosotros a pesar de nuestros planes. La dicha nos está esperando más allá de esa frontera de lo conocido. Y eso significa abandonar nuestros planes o ideas fijas sobre cómo van a ser las cosas.

A veces, el proceso de despertar a la dicha sucede a través de la intuición y de la perseverancia. Por ejemplo, Beatrice aguantó durante algunos años en un trabajo mal pagado de vendedora. Un día decidió hacer un curso de formación para profesores de yoga. Cuando lo completó, empezó a trabajar como profesora a tiempo parcial, y cuando fue teniendo más trabajo, se dedicó a la enseñanza casi a tiempo completo. Se sentía más viva, tenía más espacio y tiempo en su vida para concentrarse en lo que le gustaba hacer. Así que siguió su pasión por el asesoramiento espiritual. Empezó a tener clientes y combinó este trabajo con el yoga. Para Beatrice, su viaje a la dicha no supuso un despertar espectacular, sino una serie de ideas inspiradoras combinadas con pequeños pasos hacia lo que le gustaba hacer.

A veces, el despertar a la dicha se produce de repente y de forma inesperada. Sé de un coach y formador para empresas que experimentó un repentino y asombroso despertar espiritual mientras trabajaba. Le sucedió de pronto tras haber estado hablando por teléfono con un cliente: al final de la llamada, empezó a llorar sin razón alguna y no podía parar. Al principio, esa experiencia le llevó a un espacio comprometido donde el sentimiento era tan fuerte que pensó que se iba a morir. Al final, ese estado pasó y entró en otro estado muy bello y tan intenso que «siguió llorando casi todos los días durante todo el año siguiente». Debido a la intensidad de esta experiencia, no pudo seguir trabajando durante algún tiempo. Cuando pudo regresar a su trabajo, lo hizo en un estado de consciencia totalmente diferente: en un estado de presencia, paz y dicha permanente. Su trabajo era el mismo, pero él había cambiado para siempre.

Tanto si esta dicha se produce gradualmente como de repente, llegará a su debido tiempo. No podemos forzarla. Afortunadamente, no importa que hayas sufrido durante años, la dicha siempre es posible. Yo odiaba a muerte mi primer trabajo y tuve que soportarlo durante diez años. Hubo una época en que pensaba que así sería siempre mi vida laboral. Ahora sé que el sufrimiento siempre puede convertirse en algo más agradable y útil.

## La dicha de la buena suerte...

Joseph Campbell dice: «Sigue tu dicha y el universo te abrirá puertas donde sólo había paredes». La divina providencia trata sobre el milagro de la vida: que se está produciendo continuamente a nuestro alrededor. Que el planeta Tierra esté girando alrededor de un dorado y calido sol a la distancia correcta, no demasiado cerca para que quedemos reducidos a cenizas, ni tan lejos como para que nos congelemos, es un milagro. Que la Tierra tenga una gravedad que no sea tan fuerte como para que aplaste la vida, ni tan ligera como para que los seres vivos salgan flotando, es un milagro. Hay muchos otros milagros que cada día damos por sentado. Que tengas salud, recursos y la facultad de moverte y crear en el mundo también son milagros. San Agustín dijo: «Los milagros no van en contra de la naturaleza, sólo en contra de lo que nosotros conocemos de la naturaleza».

Podemos elegir negar el milagro de la vida o aceptar el milagro de la vida y decidir hacer algo importante en ella. El fallecido Steve Jobs —cofundador de Apple— fue un hijo adoptado. Cuando todavía era pequeño, sus padres adoptivos se trasladaron a vivir al condado de Santa Clara, al sur de San Francisco, que posteriormente se convertiría en Silicon Valley. Así que creció rodeado del curioso mundo de la electrónica. En la escuela conoció a Steve Wozniak —que fue cofundador de Apple junto con Jobs— y en la escuela iniciaron su primera aventura empresarial conjunta, vender teléfonos ilegales a los estudiantes de Berkeley. Cuando Jobs estaba en la universidad, no tenía ni idea de lo que quería hacer en su vida ni de qué le iba a servir la universidad, así que abandonó los estudios y se apuntó a un curso de caligrafía. Esto fue bastante aleatorio, pues parecía tener muy poco valor práctico. Posteriormente, tendría un profundo impacto en el diseño del ordenador Apple. Después de la universidad, empezó a trabajar con Atari, un conocido fabricante de videojuegos y ordenadores caseros, con la intención principal de ahorrar dinero para marcharse a la India con un amigo —que posteriormente se convertiría en el primer empleado de Apple— en busca de la iluminación espiritual. Regresó siendo budista con la cabeza rapada. Curiosamente, Jobs más tarde se planteó hacerse monje budista, en vez de montar Apple, pero un gurú espiritual le convenció para que no lo hiciera. Apple revolucionó el mundo de los ordenadores personales —convirtiéndole en multimillonario— y todo ello sucedió sin tener ningún plan estipulado. Sólo había un sentimiento unificador de pasión que fue tejiendo un hilo de significativas coincidencias. Sobre estas etapas de su vida dijo: «No puedes unir los puntos mirando hacia delante; sólo puedes hacerlo mirando hacia atrás. Así que has de confiar en que los puntos se conectarán de algún modo en el futuro. Has de confiar en algo: tu intuición, destino, vida, karma..., lo que sea. Esta visión no me ha fallado nunca, y siempre ha marcado la diferencia en mi vida».

Shirlie debutó en la música rock en la década de 1970, trabajando con Ray Davies y los Kinks, y otras bandas como Ulravox, Hot Chocolate y Suzie Quatro; por la década de 1980 componía para musicales y actuaba en ellos. Participó en grandes espectáculos como *El violinista en el tejado* y *Yosef y su sorprendente manto de sueños en tecnicolor*. Cuando su propia opera rock, que se representó en Sadler's Wells, fue rechazada por la crítica, se hundió en una especie de «oscura noche del alma». Al final, salió del pozo, decidió cambiar su vida por completo y le envió una súplica al espíritu que decía: «Iré dondequiera que me pidas, haré lo que quiera que me pidas, seré quienquiera que me pidas ser, para servir al planeta y a las personas». Al poco tiempo, «las puertas se abrieron de par en par en la recién creada República de Eslovenia», donde desde 1992 ha estado dando conciertos y dirigiendo seminarios y talleres sobre sonidos terapéuticos: enseña el uso de la voz como instrumento de curación. Allí se la conoce afectuosamente como la Embajadora de la Luz. Trabajar en Eslovenia le abrió las puertas para trabajar en otros países, incluido Egipto, donde está ahora ofreciendo retiros sobre el sonido. «Cantar nos ayuda a estar vivos. Nos conecta: no sólo entre nosotros, sino con la vibración de todo el universo», dice Shirley de su trabajo.

En octubre de 2010 conocí a Jeni en un curso de formación que estuve impartiendo en Sofía. Era mi traductora y fue maravilloso trabajar con ella. Vino al seminario con dos sueños importantes. El primero, realizar un curso de formación para profesores, y el segundo, encontrar un trabajo que le permitiera vivir en Oriente Medio. El problema con su primer sueño era que no tenía dinero para el curso. El problema con el segundo era que quería trabajar de azafata, pero no había pasado la selección inicial ni daba la talla para la compañía aérea que ella quería. Después del seminario, ella estaba tomando un té con uno de los participantes y le contó su primer sueño. Para su gran sorpresa —casi se cae de la silla—, éste había recibido un dinero recientemente y se ofreció a pagarle curso. Al cabo de un mes, ¡volvió a presentar la solicitud para la compañía aérea y esta vez la aceptaron! Aunque estaba un poco nerviosa, pasó la entrevista y el examen de estatura sobradamente, teniendo en cuenta que uno no puede cambiar su estatura con tanta rapidez. «Lo de la estatura fue todavía más extraordinario que lo del dinero, porque desde luego no había forma de que pudiera cambiarla», me dijo. Bueno, supongo que a veces pasan cosas extrañas: en cualquier caso, fue maravilloso saber que sus sueños se habían hecho realidad en tan poco tiempo, sólo con un pequeño cambio de actitud.

## INVITA A TU BUENA SUERTE A TU TRABAJO

- Conoce tus intenciones y no te apegues a los resultados.
- Recurre a la gracia, la divina providencia y la dicha para que se manifiesten en tu trabajo.
- Abandona tu necesidad de tener que hacerlo todo tú mismo.
- Confía en que el Universo es amable e inteligente y que siempre trabaja a tu favor.
- Empieza a creer que la gracia puede manifestarse en cualquier momento.
- Mantente receptivo para que la buena suerte entre en tu vida de formas diferentes e inesperadas.
- Da las gracias cuando lleguen la gracia y la buena suerte.
- Actúa con la convicción de que los mejores resultados ya están en camino en tu vida y en tu trabajo.

## Declaración de intenciones

1. Estoy dispuesto a presenciar y a transformar todo el sufrimiento que surge en mi trabajo. Estoy dispuesto a liberarme de la limitación de todos mis condicionamientos, creencias, suposiciones, pactos inconscientes, obligaciones, dramas, de la actitud de perseguidor, salvador o víctima que me bloquean.
2. Estoy dispuesto a ser más auténtico, estar más presente, ser más consciente en mi vida y en mi trabajo. Estoy dispuesto a dejar de confiar excesivamente en vivir con el piloto automático. Estoy dispuesto a ser totalmente yo mismo.
3. Estoy dispuesto a transformar mi actitud y mi perspectiva en mi trabajo. Estoy dispuesto a afrontar todos mis temores sobre el presente y el futuro. Estoy dispuesto a ver un futuro brillante, expansivo, incitante y esperanzador abriéndose ante mí.
4. Estoy dispuesto a reconocer que mi tiempo en la Tierra es limitado. Estoy dispuesto a reconocer que mi tiempo es muy valioso. Estoy dispuesto a utilizar mejor mi tiempo.
5. Estoy dispuesto a aceptar la totalidad de mis dones, recursos, aptitudes y talentos. Estoy dispuesto a utilizar mi intelecto con mi imaginación y mi intuición. Estoy dispuesto a desarrollar mis aptitudes. Estoy dispuesto a encontrar mi lugar en el mundo. Estoy dispuesto a escuchar la información que recibo y a utilizarla correctamente.
6. Estoy dispuesto a divertirme, a estar de buen humor, a reírme y al juego creativo en mi trabajo. Estoy dispuesto a no tomarme tan en serio.
7. Estoy dispuesto a divertirme, a jugar y a que entren en mi vida personas positivas. Estoy dispuesto a abrirme y a conectar de verdad con otros exploradores y pioneros de los campos que he elegido.
8. Estoy dispuesto a que mi trabajo sea una historia de amor. Estoy dispuesto a descubrir mis verdaderos principios. Estoy dispuesto a que el entusiasmo y la alegría entren en mi trabajo. Estoy dispuesto a disfrutar con lo que hago. Estoy dispuesto a que se me revele cuál

va a ser el trabajo de mi vida. Estoy dispuesto a soñar con mi trabajo hasta que se haga realidad.

9. Estoy dispuesto a fluir como el agua en vez de luchar. Estoy dispuesto a actuar sin esfuerzo de acuerdo con mis verdaderos principios. Estoy dispuesto a estar en el lugar correcto en el momento correcto. Estoy dispuesto a que mi trabajo se desarrolle con facilidad y gracia. Estoy dispuesto a trabajar con más dicha si cabe.
10. Estoy dispuesto a emprender este viaje y encontrar mi propio camino. Estoy dispuesto a confiar en mi guía interior y a terminar este viaje, dondequiera que me lleve.

## La dicha de la Verdad...

En la sabiduría huna —de Hawái— hay un principio muy útil, que reza: «La verdad se mide por la efectividad». Este principio —denominado Pono— afirma que siempre hay otra forma de hacer las cosas. No hemos de quedarnos estancados en un método o sistema. No hay una sola verdad, un solo método, una sola técnica, una sola filosofía, ni una sola forma de ser feliz y tener éxito. Aunque tu pasión y propósito sean intocables, tus medios para alcanzar ese fin no lo son. Esto no significa que hagas nada que esté en contra de tus valores o ética: todo lo contrario, lo que significa es que lo intentes de otro modo. Igual que en el ajedrez, hay muchas formas de moverse por el tablero. Nadie —ni ningún ordenador— ha calculado todas las opciones.

No interpretes las ideas de este libro o de cualquier otro como si fueran la única solución. No te comprometas con nada. Existen muchas formas, muchas permutas para llegar a ese trabajo que despertará y llenará tu corazón. Tienes tu propio camino, ¡descúbrelo! Adopta sólo las ideas que te sean útiles y prácticas. Deseo que este libro te ayude a encontrar la fuerza interior para tener una visión valiente, intuitiva, innovadora y flexible.

Y aquí está: como ya sabemos, ¡todas las cosas son impermanentes! Estoy muy agradecido por haber compartido esta parte del viaje contigo. Y tu viaje continuará más allá de estas páginas. Quiero aprovechar esta oportunidad para bendecir tu viaje en el mundo laboral. Que descubras el verdadero trabajo que anhela tu corazón y que gracias a él despiertes al fluir, juegues y sientas pasión y dicha. Cuando tu trabajo coincide con el trabajo que desea tu corazón, se convierte en una verdadera contribución para ti mismo, tu familia, tu comunidad más próxima, tus descendientes y el mundo en general.

Con amor y mis bendiciones,

STEVE AHNAEL NOBEL

El Buda animó a sus discípulos a que no malgastaran su tiempo y energía en especulaciones metafísicas. Cuando le planteaban una pregunta metafísica, guardaba silencio. Por el contrario, dirigía a sus discípulos hacia temas prácticos. Un día dijo: «Supongamos que un hombre es herido con una flecha envenenada y que el sanador quiere extraérsela de inmediato. Supongamos que el hombre no quiere que se la saquen hasta saber quién le ha disparado, su edad, quiénes son sus padres y por qué lo ha hecho. ¿Qué sucedería? Si tuviera que esperar hasta hallar la respuesta a estas preguntas, seguramente moriría antes de conocer las respuestas». La vida es corta, no malgastes el tiempo en especulaciones metafísicas que no te acercan en nada a la verdad.

# Fuentes

## Libros recomendados sobre el trabajo

Boldt, Laurence, *How to Find the Work You Love*, Arcana, 1996.
Bolles, Richard, *¿De qué color es su paracaídas?*, Ediciones Gestión 2000, Barcelona, 2004.
Covey, Stephen, *Los 7 hábitos de la gente altamente efectiva*, Ediciones Paidós Ibérica, Barcelona, 2010.
Ferris, Timothy, *La semana laboral de 4 horas*, RBA, Barcelona, 2008.
Fox, Matthew, *Reinvention of Work*, Harper San Francisco, 1995.
Holden, Robert, *Success Intelligence*, Hay House, 2010.
Moore, Thomas, *A Life at Work*, Three Rivers Press, 2009.
Pink, Daniel, *Una nueva mente*, Kantolla, Madrid, 2008.
Whyte, David, *Crossing the Unknown Sea*, Penguin Books, 2001.
Williams, Nick, *El trabajo ideal*, Grijalbo, Barcelona, 2002.

## Libros recomendados sobre budismo

Chodron, Pema, *La sabiduría de la no-evasión*, Oniro, Barcelona, 2012.
Dalái Lama, *El arte de la felicidad*, Grijalbo, Barcelona, 1999, DeBolsillo, 2010.
Kabat Zinn, Jon, *Coming to Our Senses*, Piatkus, 2005.
Kornfield, Jack, *Después del éxtasis, la colada*, La Liebre de Marzo, Madrid, 2001.
Lama Surya Das, *El despertar del Buda interior*, Edaf, Barcelona, 1998.
Thich Nhat Hanh, *El corazón de las enseñanzas de Buda*, Oniro, Barcelona, 2005.

## Páginas web budistas en Inglaterra

The Buddhist Society — www.thebuddhistsociety.org
Gaia House — www.gaiahouse.co.uk

Jamyang — www.jamyang.co.uk
Kagyu Samye Dzong — www.london.samye.org
Mindfulness London — www.learnmindfulness.co.uk
Samye Ling — www.samyeling.org
Triatna (anteriormente Friends of the Western Buddhist Order) — www.fwbo.org.

## Páginas web budistas internacionales

Pema Chodron, USA — www.pemachodronfoundation.org
The Dalái Lama, norte de la India — www.dalailama.com
Dharma Seed, USA — www.dharmaseed.org
Heart of Asia — www.heartofasia.org
Jack Kornfield, USA — www.jackkornfield.org
Lama Surya Das, USA — www.surya.org
Plum Village, sur de Francia — www.plumvillage.org
Shambhala International, en todo el mundo — www.shambhala.org
Ed y Debs Shapiro, USA — www.edanddebosshapiro.com
Spirit Rock, California, USA — www.spiritrock.org
Vipassana Meditation, en todo el mundo — www.dhamma.org

## Páginas web de acción social

Burma Campaign — www.burmacampaign.org.uk
Free Tibet — www.freetibet.org
Heart of Asia — www.heartofasia.org
Karuna, India — www.appeals.karuna.org
Tibet Foundation — www.tibet-foundation.org
Tibet Society — www.tibetsociety.com

# Contacta con el autor

La página web principal del autor es www.stevenobel.com. En ella se proporciona información sobre los seminarios en el Reino Unido y Europa, y coaching personalizado.

Podcast gratis: www.stevenobel-audio.com. Ofrece varios audios sobre diferentes temas del autor, incluido el de disfrutar en el trabajo, y www.stevenobel-interviews.com también ofrece muchos audios; aquí el autor entrevista a otros autores y maestros sobre una extensa gama de temas.

Alternatives, Saint James Church, Piccadilly, Londres (www.alternatives.org.uk). Es una organización sin ánimo de lucro que promociona a escritores y maestros en el campo de la mente, cuerpo y espíritu; el autor es codirector.

Facebook. El autor tiene su página de seguidores en Facebook; busca: Steve Ahnael Nobel.

Twitter. Encuentra al autor en London_Has_Soul.

Contactar por correo electrónico: puedes contactar con el autor a través de lotussword@gmx.com.